英検準1級 総合対策教本

旺文社

　国際語としての英語の重要性が高まる中で，実用英語技能検定（英検）の教育的・社会的意義は高く評価されています。

　このたび，ご好評をいただいておりました「英検教本」シリーズを改訂することとなりました。問題別に必要な力を学び，基本的な解説を読み，トレーニングを行い，じっくりと実力をつけるという「参考書」型である点は維持しながら，各CHAPTERの最後に英検形式の実践問題をつけることで，より多くの英検形式の問題を解いていただけるようになりました。

　「英検準1級総合対策教本」には以下のような特長があります。

● **過去問を分析して傾向を把握**
　各CHAPTERの冒頭では，問題の形式に加えて，過去問のデータ分析に基づく傾向を掲載しています。試験の傾向を把握し，効率よく学ぶことができます。

● **トレーニングと実践問題**
　学習項目ごとに付けられたトレーニングと，CHAPTERごとの実践問題を解くことによって，学んだ理論を身に付け，定着を確認することができます。

● **二次試験にも対応**
　豊富な例と詳しい解説で，二次試験のナレーションの構成から質疑応答の解答のポイントまでを学ぶことができます。面接に臨む姿勢に関する「アティテュードについて」も掲載していますので，参考にしてください。

　本書と，本書の内容を収録した付属CDをご活用いただき，英検準1級に合格されることを心よりお祈りしております。

　終わりに，本書を刊行するにあたり，多大なご尽力をいただきました渋谷外語学院 英検対策講座講師 入野田克俊先生（CHAPTER 1），日本大学第二中・高等学校教諭 大關晋先生（CHAPTER 2），文京学院大学准教授 隅田朗彦先生（CHAPTER 3，5），青山学院高等部教諭 田辺博史先生（CHAPTER 4），早稲田大学教授 Adrian Pinnington 先生，Utah Valley University 非常勤講師 Peter Vincent 先生（以上，英文問題作成）に深く感謝の意を表します。

旺文社

CONTENTS

はじめに
本書の利用法 ……………………… 4
英検準1級の受験情報 ……………… 6
英検準1級の内容 …………………… 8
付属 CD について …………………… 10

一次試験対策

CHAPTER 1 語彙問題 ……… 13 英検準1級 筆記 1 に対応

語彙問題の形式 ……………………… 14
語彙問題の傾向 ……………………… 16
語彙問題を解くために必要な力 …… 18
　学習ページ ………………………… 20
実践問題 ……………………………… 68

CHAPTER 2 読解問題 ……… 75 英検準1級 筆記 2, 3 に対応

読解問題の形式 ……………………… 76
読解問題の傾向 ……………………… 80
読解問題を解くために必要な力 …… 84
　学習ページ ………………………… 86
実践問題 ……………………………… 130

CHAPTER 3 英作文問題 …… 143 英検準1級 筆記 4 に対応

英作文問題の形式 …………………… 144
英作文問題の傾向 …………………… 146
英作文問題を解くために必要な力 … 148
　学習ページ ………………………… 150
実践問題 ……………………………… 176

CHAPTER 4 リスニング問題	179
リスニング問題の形式	180
リスニング問題の傾向	186
リスニング問題を解くために必要な力	192
学習ページ	194
実践問題	251

> 英検準1級 リスニング Part1～4に対応

二次試験対策

CHAPTER 5 面接	269
面接の形式	270
面接の流れ	272
面接の傾向	274
面接を突破するために必要な力	276
学習ページ	278
実践問題	306

> 英検準1級 二次試験・面接に対応

編集● 鈴木基弘，味戸優
編集協力●（株）カルチャー・プロ
　　　　　（有）ファイアウィード 成澤恒人
装丁デザイン● 及川真咲デザイン事務所（縣沙紀）
本文デザイン● 有限会社 熊アート（益子いずみ）
イラスト● 有限会社アート・ワーク
録音● 有限会社 スタジオ ユニバーサル

本書の利用法

　本書は，語彙問題，読解問題，英作文問題，リスニング問題，二次試験・面接の5つのCHAPTERで構成され，各CHAPTERの構成は次のようになっています。

問題の形式　問題の傾向　必要な力　必要な力の学習ページ　実践問題

問題の形式

英検に出題される問題の出題数，形式，ねらいなどをまとめました。学習を始める前に把握しましょう。

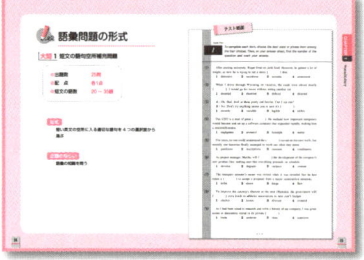

問題の傾向

過去問（2005-3~2009-3）の分析を旺文社で独自に行い，出題されたジャンル，設問の種類などを掲載しました。CHAPTER 5 (二次試験・面接) では，面接の流れを示しました。

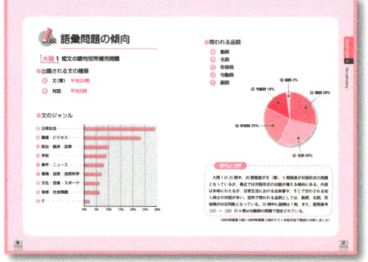

必要な力

各問題の解答に必要な力を挙げ，解説しています。続く学習ページで詳しく学んでいきます。

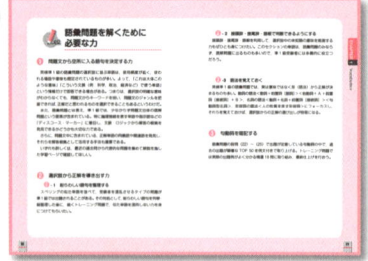

学習ページ

〈 説明ページ 〉

解答に必要な力を身に付けるための知識を，例などを用いながら詳しく説明します。

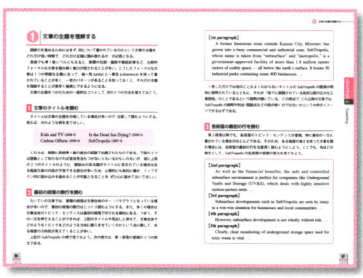

〈 トレーニング 〉

説明ページで得た知識を定着させましょう。トレーニングは英検の出題形式に関わらず，また，必要と思われる部分に入っています。

実践問題

本番通りの形式の問題が収録されています。設問数は，実際の試験の半分程度です。復習をしてしっかり身に付けてください。

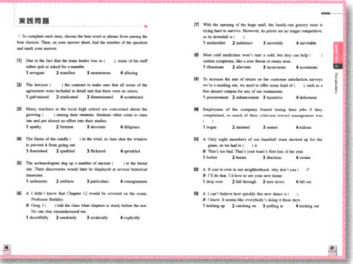

5

英検準1級の受験情報

試験概要

● **実施機関**（申し込み，受験についてのお問合せ先）

（公財）日本英語検定協会

〒162-8055 東京都新宿区横寺町55

TEL：03-3266-8311（英検サービスセンター）

ウェブサイト：www.eiken.or.jp

携帯サイト：http://www.eiken.or.jp/i

● **試験日程**

試験は年3回行われます。（二次試験は3級以上）

第1回検定：一次試験─6月／二次試験─7月

第2回検定：一次試験─10月／二次試験─11月

第3回検定：一次試験─1月／二次試験─2月

● **検定料**

1級	準1級	2級	準2級	3級	4級	5級
7,500円	6,000円	4,100円	3,600円	2,500円	1,500円	1,400円

● **受験資格**

特に制限はありません。

※目や耳・肢体等が不自由な方には特別措置を講じますので，協会までお問い合わせください。

●申し込み方法

個人受験 下記のいずれかの方法で申し込みができます。

●英検特約書店（要願書）
検定料を払い込み，「書店払込証書」と「願書」を協会へ郵送。

●コンビニ（願書不要）
店頭の情報端末に入力し，「申込券」が出力されたら検定料をレジで支払う。

●インターネット（願書不要）
英検ウェブサイト www.eiken.or.jp から直接申し込める。検定料は，クレジットカード，コンビニ，郵便局 ATM で支払う。

●携帯電話（願書不要）
英検携帯サイト http://www.eiken.or.jp/i から直接申し込める。検定料の支払いは，インターネット利用と同じ。

団体受験 学校や塾などで申し込みをする団体受験もあります。詳しくは申込責任者にお尋ねください。

※ 2010年7月現在の情報です。
内容は変更されることがありますので，詳しくは実施機関にお問い合わせください。

英検準1級の内容

　英検準1級の一次試験は，90分の筆記試験と約25〜30分のリスニング試験で構成されています。解答は，マークシートにマークします。一次試験合格後に受験する二次試験は，面接形式のスピーキングテストとなっています。

●一次試験

筆記試験

筆記試験は以下の4つの大問で構成されています。

問題	形式	設問数	配点	
1	短文の語句空所補充問題 短文中の空所に適切な語句を選択肢から選んで入れ，文章を完成させる。	25問	各1点	CHAPTER 1
2	長文の語句空所補充問題 250語程度のパッセージに3つある空所に，文脈に合うように最も適切な語句を選択肢から選ぶ。パッセージは2つ。	6問	各1点	CHAPTER 2
3	長文の内容一致選択問題 パッセージの内容を問う質問に対して選択肢の中から最も適切なものを選ぶ。3つの設問がある300語と400語程度のパッセージが2つ，4つの設問がある500語程度のパッセージが1つ。	10問	各2点	
4	英作文問題 与えられたEメールに対して，100語程度の返信文を書く。	1問	14点	CHAPTER 3

リスニング

リスニングは以下の3つのPartで構成されています。

Part	形式	設問数	配点
1	会話の内容一致選択問題 放送される12の会話文の後にそれぞれ流れる質問の答えを選択肢から選ぶ。	12問	各1点
2	文章の内容一致選択問題 放送される150語程度の英文の後にそれぞれ流れる2つの質問の答えを選択肢から選ぶ。	12問	各1点
3	Real-Life形式の内容一致選択問題 放送前の10秒で問題用紙に印刷されているSituationとQuestionに目を通す。英文放送の後に選択肢から答えを選ぶ。	5問	各2点

CHAPTER 4

● 二次試験

面接

面接は以下の要素で構成されています。

構成	形式
自由会話	面接委員と日常会話を行う。
ナレーション	問題カードに印刷されたイラストを見て，1分間でナレーションを行う。
Q&A	イラストやイラストに関連したトピックについて面接委員の質問に答える。

CHAPTER 5

付属CDについて

　本書には，CHAPTER 4 とCHAPTER 5 の内容を収録した付属CDがついています。収録個所は本文では **CD-2** のように，トラック番号を示しています。収録内容とトラック番号は以下の通りです。

収録時間：約57分

CHAPTER 4

トラック番号	収録内容
2～18	トレーニング
19	会話の聞き取りで注意すべき表現
20～34	実践問題

CHAPTER 5

トラック番号	収録内容
35～40	トレーニング
41～43	実践問題

※付属CDは，音楽CDプレーヤーで再生してください。パソコンなどでの再生時には，不具合が生じる可能性がありますのであらかじめご了承ください。

一次試験対策

CHAPTER **1** 語彙問題 ………… **13**
CHAPTER **2** 読解問題 ………… **75**
CHAPTER **3** 英作文問題 ………… **143**
CHAPTER **4** リスニング問題 ……… **179**

CHAPTER 1
語彙問題

語彙問題の形式 ………… **14**
語彙問題の傾向 ………… **16**
語彙問題に必要な力 …… **18**
実践問題 ………………… **68**

語彙問題の形式

大問 1 短文の語句空所補充問題

- 出題数　　　25問
- 配　点　　　各1点
- 短文の語数　20〜35語

形式
短い英文の空所に入る適切な語句を4つの選択肢から選ぶ

出題のねらい
語彙の知識を問う

テスト紙面

Grade Pre-1

1 To complete each item, choose the best word or phrase from among the four choices. Then, on your answer sheet, find the number of the question and mark your answer.

(1) After starting university, Roger lived on junk food. However, he gained a lot of weight, so now he is trying to eat a more (　　　) diet.
 1 defensive   **2** nutritious   **3** acoustic   **4** prominent

(2) When I drove through Wyoming on vacation, the roads were almost totally (　　　). I would go for hours without seeing another car.
 1 deserted   **2** disabled   **3** defined   **4** directed

(3) *A :* Oh, Dad, look at these pretty red berries. Can I eat one?
 B : No. Don't try anything unless you're sure it's (　　　).
 1 durable   **2** variable   **3** legible   **4** edible

(4) Our CEO is a man of great (　　　). He realized how important computers would become and set up a software company that expanded rapidly, making him a multimillionaire.
 1 negligence   **2** protocol   **3** foresight   **4** mercy

(5) For years, no one could understand the (　　　) carved on the cave walls, but recently one historian finally managed to work out what they mean.
 1 partitions   **2** inscriptions   **3** ransoms   **4** condiments

(6) As project manager, Martha will (　　　) the development of the company's new product line, making sure that everything proceeds on schedule.
 1 devalue   **2** degrade   **3** outpace   **4** oversee

(7) The transport minister's career was ruined when it was revealed that he had taken a (　　　) to accept a proposal from a major construction company.
 1 bribe   **2** chore   **3** hinge   **4** flaw

(8) To improve the country's chances at the next Olympics, the government will (　　　) extra funds to athletics associations in next year's budget.
 1 abolish   **2** invent   **3** allocate   **4** contend

(9) As I had been asked to research and write a history of my company, I was given access to documents stored in its private (　　　).
 1 traits   **2** archives   **3** vices   **4** sanctions

語彙問題の傾向

> **大問 1** 短文の語句空所補充問題

● 出題される文の種類

- Ⓐ 文(章)　平均20問
- Ⓑ 対話　　平均5問

● 文のジャンル

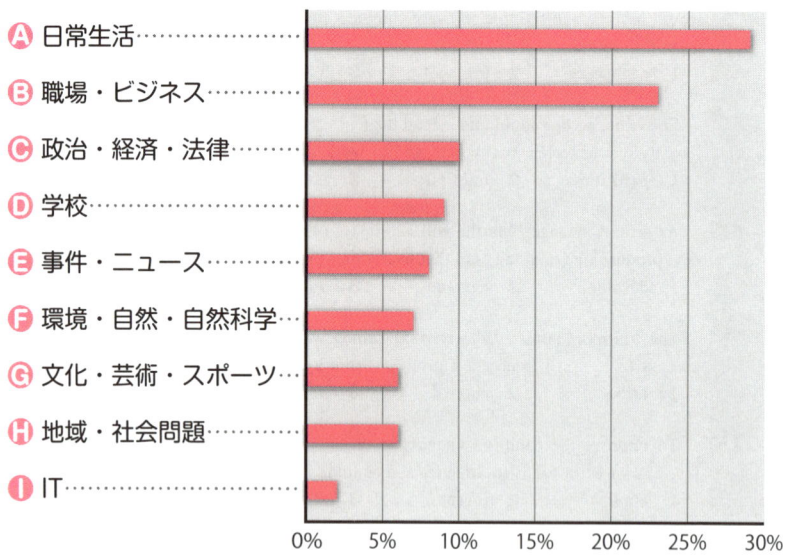

- Ⓐ 日常生活
- Ⓑ 職場・ビジネス
- Ⓒ 政治・経済・法律
- Ⓓ 学校
- Ⓔ 事件・ニュース
- Ⓕ 環境・自然・自然科学
- Ⓖ 文化・芸術・スポーツ
- Ⓗ 地域・社会問題
- Ⓘ IT

● 問われる品詞

- Ⓐ 動詞
- Ⓑ 名詞
- Ⓒ 形容詞
- Ⓓ 句動詞
- Ⓔ 副詞

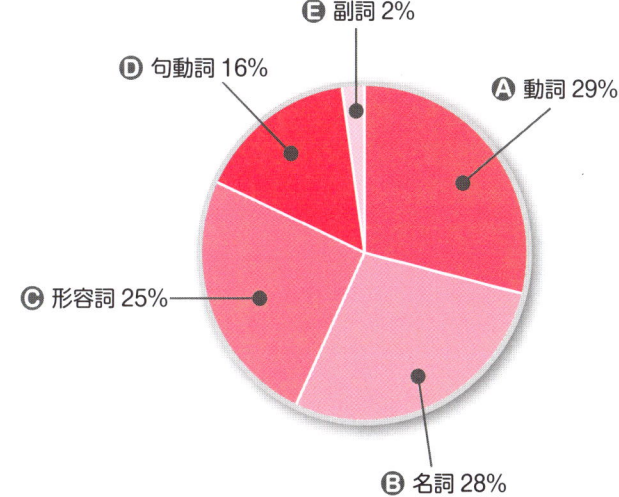

Ⓔ 副詞 2%
Ⓓ 句動詞 16%
Ⓐ 動詞 29%
Ⓒ 形容詞 25%
Ⓑ 名詞 28%

傾向と分析

　大問1の25問中，20問程度が文（章），5問程度が対話形式の問題となっているが，最近では対話形式の出題が増える傾向にある。内容は多岐にわたるが，日常生活における出来事や，そこで交わされる知人同士の対話が多い。空所で問われる品詞としては，動詞，名詞，形容詞がほぼ同数となっている。25問中に副詞は1問，また，設問番号（22）〜（25）の4問は句動詞の問題で固定されている。

（2005年度第3回〜2009年度第3回のテストを旺文社で独自に分析しました）

語彙問題を解くために必要な力

❶ 問題文から空所に入る語句を決定する力

　英検準1級の語彙問題の選択肢に並ぶ単語は，使用頻度が低く，使われる場面や意味も限定されているものが多い。よって，「これは大体このような意味」「こういう文脈（例：科学，政治，経済など）で使う単語」という情報だけで即答できる場合がある。つまりは，選択肢の明確な意味がわからなくても，問題文からキーワードを拾い，問題文のジャンルを把握できれば，正解だと思われるものを選択できることもあるというわけだ。

　また，語彙問題とは言え，準1級では，少なからず問題文自体の読解問題という要素が含まれている。特に論理接続を表す単語や指示語などの「ディスコース・マーカー」に着目し，文脈・ロジックから解答の根拠を発見できるかどうかも大切な力である。

　さらに，問題文中に含まれている，正解単語の同義語や関連語を発見し，それらを解答根拠として活用する手法も重要である。

　いずれも詳しくは，最近の過去問から代表的な問題を集めて解説を施した学習ページで確認してほしい。

❷ 選択肢から正解を導き出す力

❷-1 紛らわしい語句を整理する

　スペリングの似た単語を並べて，受験者を混乱させるタイプの問題が準1級では出題されることがある。その対処として，紛らわしい語句を列挙・総整理した後に，続くトレーニング問題で，似た単語を混同しない力を身につけてもらいたい。

❷-2　接頭辞・接尾辞・語根で判断できるようにする

接頭辞・接尾辞・語根を利用して，選択肢中の未知語の意味を推測する力もぜひとも身につけたい。このセクションの単語は，語彙問題のみならず，読解問題に出るものも多いので，準１級受験者には多義的に役立つだろう。

❷-3　語法を覚えておく

英検準１級の語彙問題では，実は意味ではなく形（語法）から正解が決まるものも多い。動詞の語法＜動詞＋前置詞［副詞］＞＜他動詞＋ A ＋前置詞［接続詞］＋ B ＞，名詞の語法＜動詞＋名詞＋前置詞［接続詞］＞＜句動詞型名詞＞，形容詞の語法＜人の性質を表す形容詞＞にフォーカスし，それらを覚えておけば，選択肢からの正解の選び出しが容易になる。

❸　句動詞を暗記する

語彙問題の設問（22）〜（25）で出題が定着している句動詞の中で，過去の出題が顕著な TOP 50 を例文付きで取り上げる。トレーニング問題では実際の出題例がよく分かる精選 18 問に取り組み，最終仕上げを行おう。

❶ 問題文から空所に入る語句を決定する

英検準1級大問1の選択肢に並ぶ単語は，7,500語レベルを標準としているので相当レベルが高いものが多いが，裏を返せば，頻度が低く，使われる場面や意味も限定されているということである。したがって，英語と日本語の1：1対応で最低限の意味さえ知っていれば正解を選べることが実は多い。しかしながら，選択肢のすべての意味がわからない場合には，問題文中からもヒントを得て，何とかして正解を絞り込む必要がある。

ここでは，問題文が含むさまざまな要素をもとに，正解までたどり着くための方法を学習していく。

1 キーワード／ジャンルによる決定

選択肢の意味を明確に知らなくても，「これは大体このような意味」「こういう文脈（例：科学，政治，経済など）で使う単語」という知識だけで即答できる場合がある。その場合は，問題文中のキーワードや問題文のジャンルから正解を絞り込む方法が有効である。

例題

(1) The city **museum** will hold an **exhibition** of Egyptian (　　) dating from 3000 to 2000 B.C. It will include **pottery** and **jewelry** from that period. (2008-1)
  1 artifacts　　**2** bystanders　　**3** mechanisms　　**4** boundaries

(2) Thank you for booking your **vacation** with us. Here is a copy of your (　　), which includes all the places you requested. (2008-1)
  1 itinerary　　**2** omission　　**3** perception　　**4** assessment

(3) After three years under **enemy rule**, the city was finally (　　). The people rushed onto the streets to cheer and thank the **soldiers** for **free**ing them. (2008-1)
  1 scanned　　**2** surveyed　　**3** liberated　　**4** featured

(4) When the trade minister was caught **spy**ing for a foreign government, he was **found guilty of** being a (　　) and **sentenced to 10 years in prison**. (2009-1)
  1 broker　　**2** traitor　　**3** successor　　**4** carrier

❶ 問題文から空所に入る語句を決定する

(1) 訳：市立博物館では，紀元前 3000 年から 2000 年のエジプト**工芸品**展を開催します。当時の陶器や宝飾品などを展示いたします。

解説 museum「博物館」, exhibition「展示会」, pottery「陶器」, jewelry「宝飾品」といったキーワードの流れに入るのは，artifacts「工芸品」のみである。ほかの単語がいかに見当違いであるか，訳語で確認してほしい。bystander「傍観者，見物人」, mechanism「装置」, boundary「境界（線）」

解答　1

(2) 訳：当店にて休暇期間のご予約を頂き，ありがとうございます。こちらがお客様の**旅行日程**の控えです。お客様がご希望されたすべての場所が含まれております。

解説 vacation「休暇」とあるので，即答で itinerary「旅行日程」を選びたいが，準1級としてはややハイレベルの語彙。その場合には，消去法が有効。残りはすべて基本単語である。omission「省略」, perception「知覚」, assessment「評価」

解答　1

(3) 訳：3年間の敵国支配の後で，その都市はついに**解放された**。人々は通りへと殺到し，歓声を上げて，自分たちを解放してくれた兵士たちに感謝の言葉を贈った。

解説 enemy rule「敵国による支配」, soldiers「兵士」という文脈にふさわしい語は liberated「解放された［自由にされた］」しかない（liberty「自由」, liberal「自由な」の派生語）。また，文末に出てくる他動詞の free「～を自由にする」が liberate の同義語であるという観点からも解答可能。scan「注意深く調べる」, survey「調査する」, feature「特集する」

解答　3

(4) 訳：通産相は，外国政府のためのスパイ容疑で捕まったとき，**反逆者**として有罪となり，10年の懲役を言い渡された。

解説 spy「スパイ行為をする」, found guilty of ～「～で有罪となる」, sentenced to 10 years in prison「懲役10年を言い渡された」，ここまで揃えば traitor「反逆者」しかない。broker「ブローカー」に犯罪の匂いを感じた人もいるかもしれないが，これは「仲介［斡旋］業者」という意味の語でそれ自体悪いものではないし，主語が minister「大臣」であることからも不適。successor「後継者」, carrier「運搬人」

解答　2

2 問題文中の根拠から決定（ロジックの活用）

　大問 1 は 20 〜 30 語の短文の中に埋め込まれた形の問題なので，単純に単語の意味を答える語彙問題というわけではなく，少なからずはその問題文自体の読解問題という要素が含まれる。特に論理接続を表す単語（but, because, therefore の類）や指示語（it や them はもちろん，＜ the ＋名詞＞で既出のものを受ける表現も含む）には鋭く着目しなくてはならない。解答の根拠が含まれている場合が多い。

例題

(5) *A*: How was the dinner with your boyfriend's parents on Saturday night?
　　B: It was a (　　). **First I spilled my wine, then we argued over politics, and finally they said I wasn't the right kind of girl for their son.**
　　1 syndrome　　**2** catastrophe　　**3** congestion　　**4** redundancy
　　　　　　　　　　　　　　　　　　　　　　　　　　　　　　(2008 -1)

(6) Initially, **the children shouted and ran around the classroom, ignoring their new teacher**. The atmosphere was (　　) until the principal arrived and told them to behave.
　　1 eventual　　**2** majestic　　**3** chaotic　　**4** analytical
　　　　　　　　　　　　　　　　　　　　　　　　　　　　　　(2007-3)

(7) Peter **was frustrated** by the **lack of detail** his professor gave about the assignment, **so** he asked her for more (　　) instructions.
　　1 obscure　　**2** dubious　　**3** explicit　　**4** cynical
　　　　　　　　　　　　　　　　　　　　　　　　　　　　　　(2009-2)

(8) Kelly was (　　) until her early 20s, **but then** she went to night school to **learn to read and write**.
　　1 drowsy　　**2** illiterate　　**3** cunning　　**4** vivid
　　　　　　　　　　　　　　　　　　　　　　　　　　　　　　(2009-2)

(5) **訳**：A：土曜の晩の彼氏の両親との夕食はどうだったの？
B：**大惨事**だったわ。まず初めにワインをこぼして，次に政治のことで言い争いになって，最後には息子の彼女にふさわしくないと言われたの。

解説 (　) の内容を，First..., then..., and finally...と詳述する英語特有の「抽象⇒具体」の流れになっている。後の内容がすべてマイナスなので，それらを要約した catastrophe「大惨事」が入る。同義語の disaster, calamity も重要。syndrome「症候群」，congestion「混雑，渋滞」，redundancy「余剰（人員）」 **解答** 2

(6) **訳**：最初は，子どもたちは，叫んだり教室内を走り回ったりして，新任の先生の言うことを無視していた。雰囲気は**無秩序**だったが，ついに校長先生がやって来て，行儀良くするように言った。

解説 今度は上の問題とは逆の「具体⇒抽象」の関係である。「子どもたちが叫ぶ，走り回る，先生を無視する」＝「その雰囲気」とは何か？という問題で，そこまでわかれば日本語でも「カオス」として知られる chaos（発音は [kéɪɑ(ː)s]）の形容詞 chaotic「無秩序な」を選ぶことは平易だろう。なお，chaos「無秩序，混沌」の反意語は cosmos（発音は [kɑ́(ː)zməs]）「秩序」である。eventual「最終的な」，majestic「堂々とした」，analytical「分析的な」 **解答** 3

(7) **訳**：課題に関して教授が詳細な説明をしなかったことにイライラして，ピーターは彼女にもっと**明確な**指示を求めた。

解説 lack of detail「説明不足」にイライラしているのだから，その反対の explicit「明確な」指示を求める，とつながる。obscure「あいまいな」や dubious「疑わしい」では，so による順接が成立しない。cynical「冷笑的な」 **解答** 3

(8) **訳**：ケリーは20代前半まで**読み書きができなかった**が，その後読み書きを習うために夜間学校に通った。

解説 but の前後で反対の内容になる。learn to read and write「読み書きを習う」結果が literate なので，その否定形の illiterate「読み書きができない」が入る。literacy (rate)「識字（率）」は必修表現。drowsy「眠い」，cunning「ずる賢い」，vivid「鮮明な」 **解答** 2

(9) "Mrs. Turnbull, **congratulations** on your retirement," said the school principal. "Your **kindness** and **good humor** (　　) you to everyone here. **We will miss you**."

　　1 enforced　　**2** harassed　　**3** endeared　　**4** administered

(2008-1)

(10) The management's announcement that **salaries would be cut added to** the feeling of (　　) that had already spread throughout the struggling company.

　　1 vitality　　**2** privilege　　**3** esteem　　**4** discontent

(2008-2)

3　同義表現・反意表現の発見／基本語での言い換えによる決定

　英語では同じ単語を繰り返し使うことは文体上好まれず，同義表現を使ってさまざまに言い換えを行うことを好む。それゆえ，問題文中に正解単語の同義語や関連語が含まれていることも多く，それを解答の根拠として活用できる。

　また，選択肢を見る前から，空所に入る語を想像しておくことも有効な手段である。まずは基本単語で正解を想像しておいて，選択肢の中にその同義語を探せば，消去法に持ち込まずに積極的に解答を確定できるし，また，必然的に解答時間も短縮できるのである。

例題

(11) *A*: Why did the director leave the meeting so (　　)?
　　　B: He **suddenly** remembered he had to make an urgent phone call
　　1 loyally　　**2** acutely　　**3** barely　　**4** abruptly

(2008-3)

(12) *A*: How's your new assistant doing, Giles?
　　　B: He seems very (　　). His work has been **excellent** so far.
　　1 competent　　**2** trivial　　**3** isolated　　**4** spoiled

(2009-2)

(9) **訳**：「ターンブル先生，ご退職おめでとうございます」と学校長は言った。「その優しさとすてきなユーモアで，本校の誰もがあなたを慕っていました。先生がいなくなると寂しくなります」

解説 congratulations on ～「～おめでとう」，kindness「親切さ」，good humor「すてきなユーモア」，We will miss you.「寂しくなります」，すべてが Mrs. Turnbull に関してプラスの方向に向かう表現なので，彼女を dear「親愛なる」ものにする，というわけで endear「～を慕わせる」が入る。enforce「～を強化する」，harass「悩ませる」，administer「管理する」

解答 3

(10) **訳**：経営側が給与を削減すると発表したので，経営不振の会社に既に広がっていた不満感が高まった。

解説「給与をカットする」という発表が added to「増長させた（= increased）」感情であるから，マイナス方向の語 discontent「不満」が正解。dis- が否定の接頭辞で，元の語 content は「満足」という意味（be content(ed) with ～「～に満足する」= be satisfied with ～）。ほかはすべてプラス方向の語。vitality「活力」，privilege「特権」，esteem「尊敬」

解答 4

(11) **訳**：*A*：なぜ取締役は会議中にそんなに突然に出て行ってしまったの？
B：緊急に電話しなければいけないことを急に思い出したからよ。

解説 直後の suddenly と abruptly「突然に，急に」は同義語なので，比較的平易な問題。loyally「忠実に，誠実に」，acutely「（痛みなどが）鋭く」，barely「かろうじて」

解答 4

(12) **訳**：*A*：ジャイルズ，新人のアシスタントはどんな調子？
B：とても有能だと思うよ。これまでのところ，仕事ぶりは素晴らしいよ。

解説 excellent「素晴らしい」というプラス評価に重なる語なので，competent「有能な」（= capable）である。主語が He と His work で異なるが，この2つは結局同じことである。trivial「些細な」，isolated「孤立した」，spoiled「甘やかされた」

解答 1

(13) The scholar's latest book is a (   ) study of Shakespeare, in which she details the writer's life **from childhood to old age**.
1 fictitious   **2** mythical   **3** delirious   **4** biographical
(2008 -1)

(14) As the population of the town grew, Mr. Wilson's real estate business (   ), and soon he was a **wealthy** man.
1 decayed   **2** prospered   **3** detached   **4** perspired
(2007-3)

(15) The CEO said she was grateful to Steven because he was (   ) in ending the strike that was putting the company's future at risk.
1 insincere   **2** inconsistent   **3** instrumental   **4** inaudible
(2007-3)

(16) Construction on the new tunnel, which will be one of the world's longest, will (   ) in January. It is due to **be completed** in five years.
1 encounter   **2** commence   **3** assemble   **4** collide
(2007-3)

(13) **訳**：その学者の最新刊はシェークスピアの**伝記的**研究で，その中で彼女は，幼少時から晩年に至るまでのシェークスピアの人生を詳述している。

解説 from childhood to old age「幼少時から晩年に至るまでの」であるから，biographical「伝記の」が正解。biography「伝記」，autobiography「自伝」。fictitious「架空の」，mythical「神話の」，delirious「夢中の，興奮した」

解答 4

(14) **訳**：町の人口が増えるとともに，ウィルソン氏の不動産業は**繁盛し**，ほどなくして彼は資産家になった。

解説 rich = wealthy = prosperous「裕福な，繁栄した」である。その動詞形が prosper「繁栄する」。品詞は違うが，事実上，同義語を問うているに等しい問題。decay「腐る」，detach「〜を分離する」，perspire「〜を発汗させる」

解答 2

(15) **訳**：CEO（最高経営責任者）はスティーブンに感謝の意を表した。なぜならば，彼が会社の将来を危険にさらしていたストライキを終結させるのに**一役買った**からだ。

解説 because の因果関係を考えると，Steven はストの終結に「貢献した」「役立った」という内容が自然と浮かんで来る。簡単な単語で言えば helpful などが入るところで，その同義語は instrumental である。instrument「道具」になる⇒「役立つ」ということ。insincere「不誠実な」，inconsistent「矛盾して」，inaudible「聞き取れない」

解答 3

(16) **訳**：世界で最長のトンネルの1つとなる新トンネルの建設は，1月に**着工し**，5年後に完了する予定である。

解説 1月に（　　）して5年後に完了予定である，という流れから，begin や start などがまず思い浮かぶ。その同義語 commence「始まる」が正解。卒業が新たな人生の「始まり」なので，卒業式を commencement と言うことで有名な単語。encounter「〜に直面する」，assemble「〜を組み立てる」，collide「衝突する」

解答 2

2-1 選択肢から正解を導き出す① 紛らわしい語句

　知らず知らずのうちに英単語を間違った意味で覚えてしまうことは，誰でも頻繁に経験することである。スペリングや発音が似た単語も混同しやすい。例えば，英語を母語としていても，affect と effect を混同して使用している人は少なくない。

　選択肢に並んだ語の意味を勘違いして不正解肢だと判断しないように，紛らわしい語句の意味はしっかりと押さえておきたい。

1 スペリングの似た単語

accept	動 受け入れる	except	前 〜を除いて
adverse	形 不利[不都合]な	averse	形 反対して，嫌って
affect	動 影響する		
effect	動 （結果として）もたらす，名 効果		
blink	動 まばたきをする	brink	名 縁，瀬戸際
boom	名 にわか景気	boon	名 恩恵
broken	形 壊れた	broke	形 一文無しの
capital	名 首都，資本		
capitol	名 （通例大文字で）国会議事堂		
complement	名 動 補足（する）	compliment	名 動 賛辞（を述べる）
crash	名 動 墜落，衝突（する）	crush	動 押しつぶす
clash over 〜	〜について意見が対立する		
decease	名 死亡	disease	名 病気
desperate	形 必死の，ひどい	disparate	形 全く異なる
fat	形 太った，名 脂肪	fad	名 一時的流行
flaw	名 傷，欠点	flow	名 動 流れ（る）
germ	名 細菌	gem	名 宝石
globe	名 地球（儀）	glove	名 手袋
gross	形 全体の，下品な	gloss	名 光沢
glow	動 赤く燃える[光る]	grow	動 成長する
ingenious	形 工夫に富む	ingenuous	形 純真な
nature	名 自然	nurture	名 動 養育（する）
staff	名 職員	stuff	名 材料，物
study	名 動 研究（する）	sturdy	形 丈夫な

suit	動 適する				
suite	名 (ホテルなどの)スイート				
track	名 (競技場などの)トラック				
truck	名 (自動車の)トラック				

2 混同しやすい語

alternate	動 交互に起こる	alternative	形 名 代わりの(案)	
autograph	名 (有名人の)サイン			
sign	名 標識, 兆候, 動 署名する			
signature	名 署名			
blunt	形 鈍い	brunt	名 矢面, 矛先	
careless	形 注意散漫な, 不注意な			
carefree	形 心配事のない, のん気な			
childlike	形 (肯定的に)子どもらしい			
childish	形 (否定的に)子どもっぽい			
comprehensive	形 包括的な	comprehensible	形 理解できる	
conclusive	形 決定的な	concluding	形 終了の	
conscious	形 意識のある	conscientious	形 良心的な	
consciousness	名 意識	conscience	名 良心	
continual	形 断続的な	continuous	形 連続的な	
definite	形 明確な	definitive	形 決定的な	
disinterested	形 公正な, 客観的な	uninterested	形 無関心な	
distinct	形 明確な	distinctive	形 特徴的な	
distinguished	形 著名な, 卓越した			
effective	形 効果的な			
efficient	形 (無駄がなく)効率的な, (人が)有能な			
exhaustive	形 徹底的な	exhausted	形 疲れ切った	
female	名 形 女性(の)	feminine	形 女性らしい	
male	名 形 男性(の)	masculine	形 男性らしい	
flash	動 ぴかっと光る	flush	動 紅潮する	
forcible	形 強制的な, 力ずくの			
forceful	形 (人の)押しの強い, (議論などが)説得力のある			
historic	形 歴史上重要な	historical	形 歴史上の	

human	形 人間の	humane	形 思いやりのある
humanitarian	形 人道主義の		
imaginary	形 想像上の，架空の		
imaginative	形 想像力に富んだ		
imaginable	形 想像できる		
intelligible	形 理解できる	intelligent	形 聡明な，知的な
literal	形 文字通りの	literary	形 文学的な
literate	形 読み書きのできる		
negligent	形 怠慢な	negligible	形 無視できる
notable	形 注目すべき	noticeable	形 目立つ
produce	名 (農)産物	product	名 (工業)製品
regrettable	形 (物事が)遺憾な，後悔すべき		
regretful	形 (人が)後悔している		
respectable	形 体裁のよい，立派な		
respectful	形 (他人に)敬意を表する，礼儀正しい		
respective	形 各々の，それぞれの		
sensible	形 分別のある	sensory	形 感覚の
sensual	形 官能的な		
social	形 社会の	sociable	形 社交的な

3 同音異義語

音については，リーディングよりもリスニングの障害になることが多い。しかし，発音が同じ単語は，スペリングが似ている場合も多いので注意が必要である。

[əsént]
- **ascent** 名 上昇
- **assent** 名 動 同意(する)

[síəriəl]
- **cereal** 名 (朝食用の)シリアル
- **serial** 形 連続的な(serial killer「連続殺人犯」)

[saɪt]
- **cite** 名 動 引用(する)
- **sight** 名 視覚

❷-1 紛らわしい語句

	site	名 用地(construction site「建設現場」)

[káʊnsəl]
	council	名 会議
	counsel	名 忠告, 勧告

[kriːk]
	creak	動 名 キーキー鳴る(音)
	creek	名 小川

[fliː]
	flee	動 逃避する
	flea	名 ノミ(flea market「のみの市」)

[greɪt]
	grate	動 (食べ物などを)すりおろす
	great	形 偉大な

[peɪl]
	pail	名 バケツ
	pale	形 青白い

[prá(ː)fət]
	profit	名 利益
	prophet	名 預言者

[steɪk]
	stake	名 くい, 賭け金
	steak	名 ステーキ

[stéɪʃənèri]
	stationary	形 静止した
	stationery	名 文房具

CHAPTER 1 Vocabulary

トレーニング

次の(1)から(12)までの（　）の中から適切な語を1つずつ選びなさい。

(1) The search for an (alternative / alternate) radio station site is continuing in the area.
(2) The evidence linking aluminum to Alzheimer's disease is not (conclusive / concluding).
(3) The local (council / counsel) held a special meeting to discuss crime in the community.
(4) You can find the (serial / cereal) number on the side of the computer.
(5) The troops are supposed to be there for (human / humane / humanitarian) reasons.
(6) The man I am about to introduce is one of the most (distinct / distinctive / distinguished) scientists in the country.
(7) The earthquake victims are in (desperate / disparate) need of food and shelter.
(8) There was almost no one in his company who hadn't had their feelings hurt by his (blunt / brunt) remarks.
(9) Unfortunately there was a (flow / flaw) in the diamond which greatly reduced its market value.
(10) You look a little (flushed / flashed). Are you feeling OK?
(11) The country seems to be on the (brink / blink) of a depression.
(12) I regard it as a (complement / compliment) that my boss allowed me to make the opening speech.

解答と解説

解答

(1) alternative (2) conclusive (3) council (4) serial (5) humanitarian
(6) distinguished (7) desperate (8) blunt (9) flaw (10) flushed
(11) brink (12) compliment

解説

(1) alternative radio station site「代わりの無線局用の土地」
　　参考：alternative media「新興メディア」
　　　　⇔ mainstream media「従来の主流メディア」
(2) conclusive「決定的な」
(3) local council「地方議会」
(4) serial number「通し番号」
(5) for humanitarian reasons「人道理由から」
(6) distinguished「著名な，卓越した」
(7) desperate need「差し迫った必要」
(8) blunt remarks「無遠慮な発言」
(9) flaw「傷，欠陥」
(10) look flushed「顔が紅潮する」
(11) on the brink of ～「～の危機に瀕して」
(12) compliment「賛辞，褒め言葉」

全訳

(1) 代わりとなる無線局用の土地の調査が、その地域では継続されている。

(2) アルミニウムとアルツハイマー病を結びつける確証はない。

(3) 地方議会は、その地域の犯罪について話し合うための特別会議を開催した。

(4) コンピューターの側面を見れば、シリアル・ナンバーがわかりますよ。

(5) 軍隊は人道的理由から、そこにいることになっている。

(6) 私がご紹介するその方は、国内で最も著名な科学者の1人でいらっしゃいます。

(7) 地震の被災者は、食糧と住居を深刻に必要としている。

(8) 彼の無遠慮な発言に、会社内で気分を害さなかった人はほとんどいなかった。

(9) 残念なことに、そのダイヤモンドには傷があり、市場価値を大きく下げてしまった。

(10) 顔が少し赤いわよ。気分は大丈夫？

(11) その国は、不況の瀬戸際に立っているようだ。

(12) 上司が開会のあいさつを私にさせてくれたことは、私を評価してくれているのだと受け取っている。

2-2 選択肢から正解を導き出す② 接頭辞・接尾辞・語根

　選択肢中の未知語の意味を推測するための効果的な方法は，単語を接頭辞 (prefix)，接尾辞 (suffix)，語根 (root) などの部分に分けて，その語源的意味を理解することである。例えば astro- が「星」を意味する接頭辞だと知っていれば，astrology「占星術」や astronaut「宇宙飛行士」といった単語を聞いたことがなくても，おおよその意味を推測できる。

　もちろん，語源的意味から単語の意味を推測することには限界がある。例えば ped- が「足」を表す接頭辞だと知っていれば，pedestrian「歩行者」の意味は推測できるかもしれないが，pedigree「系図・血統」まではわからないであろう。しかしながら，単語を接頭辞・接尾辞・語根などから推測することは，非常に有用であることは間違いない。おそらく -mnesia「記憶」という接尾辞の知識がなければ，amnesty「恩赦」，amnesia「健忘症」，mnemonic device「記憶装置」を関連づけて覚えることはできないだろう。

　ここでは，接頭辞・接尾辞・語根などの代表的な例を挙げることにする。単語を部分に分けて覚えることの有用性を実感し，平素から接頭辞・接尾辞・語根などに目を向けるようにしよう。

❶ 大小

1　大きい　macro / mag / mega / maxi
macrocosm「大宇宙」　　magnificent「壮大な」
maximum「最大限」

2　小さい　micro / mini / let
microwave「超短波」　　microbe「微生物」
microscope「顕微鏡」　　microscopic「微視的な」
miniature「縮小模型」　　minimum「最小限」
booklet「小冊子」

❷ 数量

1　1つ　mono / uni / sol
monolingual「1言語を用いる」　uniform「均一の」
unify「統一する」　　unique「独特の」
sole「唯一の」　　solitude「孤独」

2　2つ　bi / di / twi
bilingual 「2言語を用いる」　　biweekly 「隔週ごとの」
bilateral 「双方の」　　bisect 「2等分する」
divide 「分割する」　　dilemma 「ジレンマ，板ばさみ」
twins 「双生児」

3　3つ　tri
triangle 「三角形」　　triplets 「3つ子」

4　4つ　quad
quadruple 「4倍にする［の］」　　quadruplets 「4つ子」

5　5つ　penta
pentagon 「5角形」
　（以下 6 = hexa　⇒ hexagon 「6角形」,
　　　　7 = sept,
　　　　8 = octa　⇒ octave 「オクターブ=8音」,
　　　　9 = novem）

6　10・1/10　dec(a) / deci
decade 「10年」
decimal number 「10分の1の単位=小数」

7　100・1/100　cent(i)
century 「100年間=1世紀」
centigrade 「セ氏」
centipede 「100の足を持つ虫=ムカデ」

8　多数　multi
multi-purpose 「多目的の」　　multiple 「多数の」

9　半分　semi / hemi
semi-final 「準決勝（戦）」　　semiconductor 「半導体」
hemisphere 「半球（体）」

10 等しい　equi / par
equivalent 「等価の」　　equity 「公平，公正」
disparity 「不等」

11 すべて　omni / pan
omnipresent 「同時にどこにでもいる［ある］」
omnipotence 「すべての＋力＝全能」
panorama 「すべてが見渡せる場所＝パノラマ」
pandemic 「世界的流行病」

12 両方　ambi / amphi
ambiguous 「両義に解釈できる＝あいまいな」
ambivalence 「愛憎併存，両面価値」
amphibian 「両生類」

13 数　numer
numerous 「多数の」
innumerable 「数え切れない（ほどの）」

❸ 過不足

1 過剰　sur / super
surplus 「剰余」　　　　surpass 「超える」
surmount 「克服する」　superfluous 「過分な」

2 多い　pro
prolific 「多産の」　　　proliferate 「激増する」

3 不足　pau(ci)
paucity 「欠乏」

4 短い　brevi / bri
abbreviate 「短縮する」　abridge 「要約する」
brief 「短い」　　　　　brevity 「簡潔さ」

❹ 心理

1 嫌い　phobia
aquaphobia 「水＋嫌い＝水恐怖症」　xenophobia 「外国の人［物］嫌い」

2 好き　phil(o) / phile / ami
philosophy 「知を愛する＝哲学」　bibliophile 「愛書家」
amicable 「友好的な」

❺ 正誤・善悪

1 よい　bene
benefit 「恩恵」　　　　　　　benevolent 「善意の」

2 正しい　ortho / rect
orthodox 「正統の」　　　　　rectangle 「長方形」
rectify 「改正する」　　　　　correction 「訂正」

3 悪い　mal / male
malfunction 「機能不全」　　　malady 「病気，弊害」
dismal 「憂うつな」　　　　　malevolent 「悪意のある」

4 誤り・困難　mis / dys
misuse 「誤用」　　　　　　　mischief 「いたずら」
dysfunctional 「機能障害の」　dyslexia 「失読症」

❻ 反対・賛成

1 賛成　pro
proponent 「支持者」　　　　　pros and cons 「賛否両論」

2 反対　contra / ant(i)
contradiction 「反論」　　　　antitoxin 「抗毒素」
antidote 「解毒剤」
antagonist 「敵役」（*cf.* protagonist 「主人公」）

❼ 時間

1 新しい　nov
novel「目新しい」　　innovate「刷新［革新］する」

2 古い　paleo / sen
paleontology「古生物学」　　senile「老年の」

3 時　chron(o) / tempor
chronological order「年代順の配列」
chronicle「年代記」
synchronize「同時に起こる」
temporary「一時的な」
contemporary「同時代の」
extemporaneous speech「即興スピーチ」

4 夜　noc / nox
nocturnal「夜行性の」
equinox「昼夜平分時（昼と夜の長さが同じになる時）」

❽ 前後

1 以前　pre / fore
previous「以前の」
preposition「前置詞」
foretell「事前に＋語る＝予言する」
forefront「最前線」
foresight「先見（の明），洞察（力）」

2 以後　post
postpone「延期する」　　postscript [P.S.]「追伸」

❾ 上下

1 上，超える　hyper
hypercritical 「過度に批判的な」

2 下　hypo / sub / sup
hypothesis 「理論や研究の下を支えるもの＝仮説」
hypocrite 「偽善者」　　　　　subway 「地下鉄」
subconscious 「潜在意識の」　subordinate 「下位の」
suppress 「下に押しとどめる＝抑圧する」

❿ 移動

1 上へ　surge / surrect
insurgence 「暴動」　　　　resurrect 「復活させる」

2 下へ　de
descend 「下る」　　　　　descendant 「子孫」

3 前に　forth
forthcoming 「やがて来る」　forthright 「率直な」

4 後ろに　retro
retrospect 「回顧」⇒ in retrospect 「振り返れば」

⓫ 類似・相違

1 類似・相似　homo / syn / sembl / simil
homogeneous 「同質の，均一の」　homosexual 「同性愛の」
homonym 「同音異義語」　　　synonym 「同義語」
synthesis 「総合，合成」　　　resemble 「似ている」
semblance 「外見」　　　　　simile 「直喩」

2 相違　hetero
heterogeneous 「異質の」　　heterosexual 「異性愛の」

⑫ 感覚

1 聴覚・音　audi / phono / phony
audience 「聴衆，観客」　　auditorium 「講堂，傍聴席」
phonology 「音韻論」　　symphony 「交響曲」

2 視覚　vid / vis / spec / spic
evident 「明白な」　　vision 「視力」
supervise 「監督する」　　specimen 「見本，標本」
spectacular 「壮観な」　　conspicuous 「人目を引く」

3 触覚　tang / tact / tag
tangible 「触れることができる」　contact 「接触」
intact 「無傷の」　　contagious disease 「(接触)伝染病」

4 感情　sent / sens / pathy
consent 「同意」 (*cf.* dissent「不賛成」)
sensitive 「感受性の強い」
apathy 「無関心」　　antipathy 「嫌悪」

⑬ 言葉

1 話す　loq(u) / log(o) / dic(t) / ora
eloquence 「雄弁」　　colloquial 「口語の」
prolog(ue) 「序文」　　dictate 「口述する」
oral 「口頭の」

2 書く　scribe / script
describe 「表現する」　　inscribe 「銘記する」
prescribe 「処方する」　　manuscript 「原稿」

⑭ 軽重

1 増加　aug / cre
augment「増加する，増大する」　increase「増加する」
increment「増加，増大」

2 重い　gravi
gravity「重力」

3 軽い　levi
alleviate「軽減する」

⑮ 場所

1 宇宙・世界　cosm(o)
cosmic「宇宙の」　　　　　　cosmopolitan「世界主義の」

2 地球・土地　geo
geology「地質学」　　　　　　geography「地理」
geometry「幾何学」

3 海　mari / mer
marine「海の」　　　　　　　mermaid「人魚」

⑯ 身体

1 頭　cap
capital「筆頭の」
　⇒ capital letter「大文字」
　⇒ capital city「首都」
　⇒ capital punishment「極刑，死刑」
caption「説明文，見出し」

2 （肉）体　carn / corp
carnivorous 「肉食性の」　　corpse 「死体」
corpulent 「太った」
corporal 「肉体の」⇒ corporal punishment 「体罰」

3 心臓　cord / cour / cardi(o)
cordial 「真心のこもった」　　encourage 「励ます」
cardiac 「心臓の」

4 足　ped
impede 「邪魔する（足かせとなる）」
pedestrian 「歩行者」

5 血液　hemo
hemoglobin 「ヘモグロビン」　　hemophilia 「血友病」

6 手　man
manual 「手動の」　　manipulate 「手で巧みに扱う」

トレーニング

次の(1)から(15)までの単語の意味として最も適切なものを下から1つずつ選びなさい。

【動詞】
(1) abbreviate　　(2) subside　　(3) assimilate
(4) levitate　　(5) scribble

1　make a word, phrase or name shorter
2　become less strong
3　write hastily, in a messy way
4　rise and float in the air
5　become an accepted member of a group

【名詞】
(6) dichotomy　　(7) panacea　　(8) upsurge

6　a sudden rise
7　the separation existing between two completely opposite and different things or groups
8　something that will solve any given problem

【形容詞・副詞】
(9) loquacious　　(10) equivalent　　(11) omnivorous
(12) ambidextrous　　(13) profusely　　(14) benign
(15) perspicacious

9　talkative
10　of the same or equal value
11　eating both meat and plants
12　many times, in large numbers / amounts
13　harmless, curable, kind
14　of acute mental vision
15　able to use both hands with equal ease

解答と解説

解答
(1) 1　　(2) 2　　(3) 5　　(4) 4　　(5) 3　　(6) 7　　(7) 8　　(8) 6
(9) 9　　(10) 10　　(11) 11　　(12) 15　　(13) 12　　(14) 13　　(15) 14

解説
(1)「短縮する」→ ab［方向］＋ brevi［短い］＋ ate［動詞の接尾辞］
(2)「和らぐ，静まる」→ sub［下］
(3)「同化する［させる］」→ a［方向］＋ simil［類似］＋ ate［動詞の接尾辞］
(4)「空中浮揚する」→ levi［軽い］＋ ate［動詞の接尾辞］
(5)「書きなぐる，走り書きする」→ scrib［書く］
(6)「二分すること」→ di［2つ］
(7)「万能薬，すべての問題の解決策」→ pan［すべて］＋ acea［治療］
(8)「急増」→ up［上］＋ surge［上へ］
(9)「おしゃべりな」→ loq［話す］＋ ous［形容詞の接尾辞］
(10)「等しい」→ equi［等しい］＋ valent［形容詞の接尾辞］
(11)「雑食性の」→ omni［すべて］＋ vorous［食］
(12)「両手利きの」→ ambi［両方］＋ dextr［右］＋ ous［形容詞の接尾辞］
　　（参考：dexterous「器用な」）
(13)「豊富に」→ pro［多い］＋ fuse［流れる］＋ ly［副詞の接尾辞］
(14)「親切な」→ beni［よい］＋ gn［生］⇔ malignant「悪意のある」
(15)「洞察力のある」→ per［完全］＋ spic［視覚］＋ ous［形容詞の接尾辞］

2-3 選択肢から正解を導き出す③ 語法

　単語の意味とは別に，直前・直後に来る前置詞や，ほかの単語との組み合わせ（コロケーション／カップリング）だけを見れば，自動的に正解が絞られる問題が英検準1級では多い。極端に言えば，意味がわからなくとも，「後に to が来る単語は選択肢の中ではこれだけ！」と考えて即答に至ることのできる場合が多いということである。

　そうした観点から，代表的な動詞・名詞のコロケーションを見ていくことにする。中には驚くほどワンパターンに同じコロケーションで何度も出題されているものもあるので，コロケーションごと覚えて（少なくとも「見覚え」を作って），これを知らずに単語丸覚えで臨んでいるほかの受験者に差をつけてほしい。

1 動詞＋前置詞 / 副詞

glare at ～	～をにらみつける
scale down ～	～を縮小する
bid for ～	～に入札する
evolve from ～	～から進化する，～から発展する
stray from ～	～から脱線する
refrain from ～	～を控える
confide in ～	～を信用して秘密を打ち明ける
excel in ～	～に優れる
indulge in ～	～にふける，～に夢中になる
waver in ～	（目的など）が揺れる
escalate into ～	～に発展する
merge into ～	合併して～になる
plunge into ～	～に飛び込む
elaborate on ～	～を詳しく説明する
embark on ～	～を始める，～に着手する
browse through ～	～を拾い読みする，～をぶらぶら見て歩く
skim through ～	～を拾い読み[流し読み]する
adapt to ～	～に適合[順応]する，～になじむ
attest to ～	～を証拠立てる，～を立証する
cater to ～	～の要求に応じる，～を満足させる

cling to ~	~にしがみつく，~に執着する
conform to ~	~に従う
succumb to ~	~に屈する，~で死ぬ
yield to ~	~に屈する
merge to do	合併して~する
strive to do	~するよう努力する，必死で~する
yearn to do	~したがる，~することを切望する
piece together ~	~を総合する，(情報)をつなぎ合わせる
warm up ~	~を暖める，~に準備運動[ウォーミングアップ]をさせる
coincide with ~	~と一致する，~と重なる
collide with ~	~と衝突する，~にぶつかる
comply with ~	~に従う，~に応じる
conflict with ~	~と衝突する，~に抵触する，~とかちあう
mingle with ~	~と付き合う，~と交流する

2 他動詞＋A＋前置詞/接続詞＋B

divert A from B	AをBからそらす
leave A (up) to B	AをBに任せる
portray A as B	AをBとして描く
penalize A for B	AをBの理由で罰する
A is derived from B	AはBに由来する
A is insulated from [against] B	AがBから断熱[防音，隔離]されている
evict A from B	AをBから立ち退かせる[強制退去させる]
extract A from B	AをBから抜粋する
A is entangled in B	AがBに巻き込まれる
condense A into B	AをBに要約[凝縮]する
discharge A into B	AをBに垂れ流す
lure A into doing	Aを誘って~させる
A is deprived of B	AはBを奪われている
assure A that ~	Aを~と言って安心させる
reassure A that ~	Aに~と言って安心させる
A is confined to B	AはBに限定される
A is demoted to B ⇔ A is promoted to B	AはBに降格される ⇔ AはBに昇進する

A is indebted to B	AはBに恩義[借り]がある　※ indebted は形容詞
abbreviate A to B	AをBに短縮する[Bと略記する]
allocate A to B	AをBに分配する
devote A to B	AをBに注ぎ込む[ささげる]
dispatch A to B	AをBに派遣する
submit A to B	AをBに提出する
A is authorized to *do*	Aは〜する権限を与えられている
A is destined to *do*	Aは〜する運命にある，Aは〜する可能性が高い
A is inclined to *do*	Aは〜したいと思う
A is obliged to *do*	Aは〜する義務がある
motivate A to *do*	Aを〜する気にさせる
stimulate A to *do*	Aを刺激して〜させる
urge A to *do*	Aに〜するよう促す
A is cluttered with B	AはBで散らかっている
A is crammed with B	AはBでぎっしりと詰まっている
A is obsessed with B	AはBに取りつかれる，AはBで頭が一杯になる
A is preoccupied with B	AはBに夢中になって[没頭して]いる
dazzle A with B	AをBで魅了する
endow A with B	AにBを寄付する

3 動詞＋名詞＋前置詞 / 接続詞

bring prosperity to ～	～に繁栄をもたらす
catch a glimpse of ～	～をちらっと見る
force the evacuation of ～	～に避難を強いる
have an aptitude for ～	～の才能［適性］がある
have a hunch that ～	～という予感がする
have a premonition that ～	～という予感がする
have the decency to *do*	～する品位がある，礼儀として～する
have the ingenuity to *do*	～する創意工夫の才がある
lead the drive to *do*	～する運動の先頭に立つ
lead to a resurgence of ～	～の復活につながる
make concession to ～	～に譲歩する
pay tribute to ～	～に敬意を表する，～をたたえる
pay compensation to ～	～に補償金［賠償金，示談金］を支払う
protect the anonymity of ～	～の匿名性を保護する
reach consensus on ～	～について意見が一致する［合意する］
take (great) pains to *do*	～するのに（大変）苦労する
write a prescription for ～	～の処方箋を書く

さらに，準1級で差がつく2つのポイントを追加する。大問1の選択肢でよく見られるものなので，ぜひ覚えておきたい。

4 句動詞型名詞

句動詞に由来する名詞は，選択肢に4つ並ぶことが多い。句動詞との意味の違いを明確にできるよう一括して整理しておこう。

breakdown	①(機械などの)故障　②(心身の)衰弱　③(基本要素への)分解
breakout	①脱獄　②突発的発生　③吹き出物
breakthrough	①現状打破　②(科学技術などの)飛躍的進歩　③成功　④(物価の)急騰
breakup	分裂，破局
offspring	①子孫　②成果
outbreak	発生，勃発
outburst	①(感情の)ほとばしり，爆発　②(流星などの)大出現
outcast	①追放された人　②落伍者　③捨て犬[猫]
outcome	結果
outcrop	(岩石の)露出，露頭
outlaw	無法者，お尋ね者
outlook	①見解(+on～)　②将来の展望　③景色
outset	着手，発端
runaway	①逃亡者　②家出(人)　③(車などの)暴走　④楽勝
rundown	①要約，概要報告　②(継続的な)減少　③[形容詞]疲れ切った(→ run-down)
uplift	①(気分の)高揚　②(土地の)隆起
uproar	騒動，大騒ぎ
upside	①上側　②(価格の)上昇傾向　③(潜在的な将来の)利点
upturn	①(景気・価格などの)上昇　②(社会などの)大変動

5 人の性質を表す形容詞

人の性質を表す形容詞は，人が主語の場合などに選択肢としてよく並べられる。人が主語，あるいは人を形容する問題文で以下の単語を発見したら，正解肢と即答できることが非常に多い。

プラスの意味で使われることが多いもの

articulate	雄弁な
compatible	相性のよい
competent	有能な
courteous	礼儀正しい
exceptional	例外的に優れた
mature	成熟した
obedient	従順な
persistent	粘り強い
versatile	多才な

マイナスの意味で使われることが多いもの

dejected	落胆した
gullible	だまされやすい
indecisive	優柔不断な
insistent	しつこい
obnoxious	非常に不快な
scornful	軽蔑的な
skeptical	懐疑的な
sly	ずる賢い，コソコソした
stingy	けちな
tense	緊張した
vicious	悪意のある

トレーニング

以下の句または文の空所に意味上入るものを，選択肢の中からそれぞれ選びなさい（同じものは2度使わない）。

1 (1) (　) down the project to half of its original size
 (2) (　) in English
 (3) (　) on a career
 (4) (　) through bookstores
 (5) (　) to the demand of the workers
 (6) (　) to the rules
 (7) Please (　) from smoking.

　　1 browse　　**2** conform　　**3** embark　　**4** excel　　**5** refrain
　　6 scale　　**7** yield

2 (1) (　) more attention to the project
 (2) (　) the gunman's attention away from the hostages
 (3) (　) this five-page report into a one-page summary
 (4) become (　)ed with cleanliness
 (5) Don't feel (　)d to repay us.
 (6) I (　) you to think again.
 (7) I'm (　)d to agree with your proposal.

　　1 condense　　**2** devote　　**3** divert　　**4** incline　　**5** oblige
　　6 obsess　　**7** urge

3 (1) (　) of food poisoning
 (2) make a (　)
 (3) sudden (　) of rage
 (4) The stadium was in an (　).
 (5) The supervisor gave his staff a (　) of the decisions.

　　1 breakthrough　　**2** outbreak　　**3** outburst　　**4** rundown
　　5 uproar

解答と解説

1
解答
(1) 6　(2) 4　(3) 3　(4) 1　(5) 7　(6) 2　(7) 5

訳
(1) 計画を当初の規模の半分に縮小する
(2) 英語に優れている
(3) 仕事を始める（就職する）
(4) 本屋をぶらぶら見て歩く
(5) 従業員たちの要求に屈する
(6) 規則に従う
(7) たばこはご遠慮ください。

2
解答
(1) 2　(2) 3　(3) 1　(4) 6　(5) 5　(6) 7　(7) 4

訳
(1) 計画により一層の注意を傾ける
(2) 殺し屋の注意を人質たちからそらす
(3) 5ページの報告書を1ページの要旨に要約する
(4) 潔癖症になる
(5) 借りを返そうだなんて思わないでください。
(6) 考え直してください。
(7) 君の提案に賛成する方に傾いている。

3
解答
(1) 2　(2) 1　(3) 3　(4) 5　(5) 4

訳
(1) 食中毒の発生
(2) 新局面を開く
(3) 突然の怒りの爆発
(4) スタジアムは騒然としていた。
(5) 監督はスタッフに決定項目の概要を説明した。

3 必須句動詞50

1 add up
So many of the details of her story did not **add up** that, in the end, nobody believed her at all.

2 abide by ～
From now on, the children must **abide by** the rules of the game or simply leave the playing field.

3 be taken aback
The entire orchestra **was taken aback** to hear that ticket sales had been so low that the concert would have to be cancelled.

4 be taken in (by ～)
When buying a used car, it is easy to **be taken in by** a low price and a dishonest salesman.

5 bump into ～
Whenever he goes downtown, he **bumps into** old friends in the most unexpected places.

6 burn out
After a year of intense campaigning, the Senator's staff worried that she would **burn out**. They demanded that she take time off to rest.

7 catch on
Most fashion designs that **catch on** these days are part of elaborate marketing schemes developed at the corporate level.

8 chip in
It costs too much to send Barbara to the state tennis championship, but if everyone in the club **chips in**, she will be able to go.

英検準1級に出題されるレベルの句動詞 (phrasal verbs) をまとめて見る機会は非常に少ない。過去に出題実績のあるもののみを選りすぐったので，このリストに挙げてある句動詞を，例文の文脈を生かして意味を覚え，ぜひ本番での得点源にしたい。

つじつまが合う，意味をなす（= make sense）
彼女の話の細部のあまりにも多くの部分が**つじつまが合わ**なかったので，最終的には誰も彼女のことを信じなかった。

（規則・決定など）を順守する（= obey, follow, comply with 〜, conform to 〜）
今後，子どもたちはそのゲームのルール**を守ら**なくてはいけません。さもないと，直ちに運動場から出て行ってもらいます。

驚く，あっけにとられる（= be surprised [amazed, astonished]）
チケットの売上げがあまりにも少なかったので，コンサートを中止しなくてはならないと聞いて，オーケストラのメンバー全員が**ビックリした**。

（〜に）だまされる（= be deceived）
中古車を購入する際は，価格の安さや悪徳販売員**にだまされ**やすい。

〜に偶然出会う（= encounter 〜, come across 〜, run into 〜, stumble on 〜）
彼は繁華街に行くといつも，最も予想しない場所で幼なじみたち**にばったり会う**。

燃え尽きる，体力を使い切る
1年間の懸命な選挙運動が終わって，上院議員のスタッフは彼女が**燃え尽きる**ことを心配した。彼らは彼女に休暇を取ってほしいと迫った。

流行する（= become popular）
最近**流行している**ファッション・デザインの大半は，企業レベルでの入念なマーケティング計画の一環である。

カンパする，少額ずつ寄付をする
バーバラを州のテニス選手権に参加させるには多額を要するが，部員全員で**カンパすれ**ば，彼女は行けるだろう。

9 come up with ～
The policy of conserving office supplies is clear; it is up to each worker to **come up with** his or her own way of putting it into practice.

10 drag on
It may seem to you that a game **drags on** for hours, but for a true baseball fan, a long afternoon at the stadium is pure bliss.

11 fall behind ～
Electronics firms must develop new products every season or risk **falling behind** competitors in the battle for market share.

12 feel up to ～
The convention lasted all day, and the elderly chairman did **not feel up to** attending the evening celebration.

13 figure out ～
The fast food industry has spent millions of dollars to **figure out** precisely which segments of the population are most receptive to the allure of their products.

14 fill in ～ (on ...)
Back from my vacation in Venice, I asked Adler to **fill** me **in on** what had happened here at the university.

15 fit in (with ～)
At seventeen, it is just as important to rebel against one's parents as it is to **fit in with** one's contemporaries.

16 get around to ～
Never one to finish a task early, she finally **got around to** filling out her tax form the day before it was due.

17 give in (to ～)
Finally, the recreation department chief **gave in to** the city council's demand for a complete review of hiring standards.

（アイデアなど）を思いつく （= think of ～）
事務用品を節約するという方針は明白だが，それを実践する自分なりの方法を考えるのは各社員次第だ。

長引く
君にとっては試合が何時間も長引いているように見えるかもしれないけど，本物の野球ファンにとって，スタジアムでの長い午後は無上の喜びなんだよ。

～に後れをとる
電子機器会社はシーズンごとに新製品を開発する必要がある。さもないと，市場シェアを求める闘いの中で競合他社に後れをとる危険性がある。

〈否定文で〉～するのがしんどい，かったるい
会議が1日中続き，高齢の議長は夜の祝賀会に出席するのが億劫だった。

～を理解する （= understand, comprehend, make out ～）
ファストフード産業は何百万ドルも費やして，どの階層の人々が自社製品の魅力を最も受け入れやすいかを正確に理解している。

～に（…について）詳細を教える
ベニスでの休暇から戻って，私はアドラーに，大学でどんなことがあったのか詳しく教えてくれるように頼んだ。

（～と）うまく合う，調和する
17歳という年齢では，同年代の仲間とうまく付き合うのと同じくらい，両親に反抗することも重要である。

やっと～に取りかかる
彼女は仕事を早めに済ませるタイプでは決してなく，納税申告書の記入にやっと取りかかったのは，締め切りの前日だった。

（～に）屈する （= give way to ～, yield to ～, submit *oneself* to ～, surrender to ～）
結局，レクリエーション課の課長は，雇用基準を全面的に見直すようにとの市議会の要求に屈した。

18 go under
As fears mount that the entire pension system may **go under**, leaders of both parties have been searching for a compromise solution.

19 hit on ～
While stuck in traffic on a Los Angeles freeway, Mitchell Gleason **hit on** the idea of allowing workers at his company to begin and finish their workday two hours later than usual.

20 iron out ～
My father always said that the best way to **iron out** a disagreement was to discuss it in an open, respectful manner.

21 jot down ～
The detective commended the bank teller for **jotting down** the license number of the getaway car.

22 lay out ～
In his speech on global warming, the President **laid out** detailed plans for curtailing the nation's dependency on fossil fuels.

23 live off ～
Mike told me that he had entered the job training program because he was tired of **living off** his parents.

24 make out ～
Without a thorough background in meteorology, it is impossible to **make out** the significance of recent weather changes.

25 map out ～
The teacher showed her students how to **map out** their time to enable them to study for each of the fifteen exams.

（事業などが）倒産する （= go bankrupt [insolvent], go out of business）
年金制度全体が破綻する可能性があるとの不安が高まっているので，両党の党首は妥協案を模索している。

（考え・計画など）をふと思いつく （= come up with ～）
ロスアンジェルスの高速道路で渋滞に巻き込まれていた間，ミッチェル・グリーソンは社員に就労時間を通常より2時間遅く開始，終了させる案を思いついた。

（問題など）を解決する （= solve）
意見の相違を解決する最善の方法は，その相違についてオープンに礼儀正しく話し合うことだと，父はいつも言っていた。

～を手早く書き留める （= write down ～, set down ～, note down ～, take down ～）
刑事は，銀行員が逃走車のナンバープレートの番号をすばやく書き留めたのを褒めた。

（計画・理由など）を明確に説明する
大統領は，地球温暖化に関するスピーチで，国家の化石燃料への依存を抑えるための詳細な計画を説明した。

～に頼って生きる （= depend on ～）
両親に頼って生きるのにうんざりしたから職業訓練プログラムに入った，とマイクは私に言った。

～を理解する
気象学の深い背景知識がなければ，最近の気象変化の重大性を理解するのは不可能だ。

～を緻密に計画する （= plan deliberately ～）
先生は，どのように時間配分を緻密に計画して，15科目それぞれの試験勉強を可能にするかを生徒に示した。

26 pass for ~
He shouldn't try to **pass for** a devout believer merely by attending church once a week.

27 phase out ~
Through the 1980s and '90s, as computers became easier to operate and cheaper to buy, portable word processors were **phased out**.

28 pick on ~
It was terrible the way the supervisor **picked on** the younger workers, constantly shouting at them for no apparent reason.

29 pick up
Last night, grandfather's condition **picked up**, so the doctor had him taken out of the intensive care unit.

30 play along (with ~)
Unless you want to lose your job, I recommend **playing along with** whatever the boss says.

31 pull through ~
The money the church gave us helped us **pull through** the year that my wife and I were unemployed.

32 put aside ~
I **put aside** forty dollars each month so that someday I can buy a plane ticket to Paris.

33 put forward ~
At the next meeting, I will **put forward** a plan to decentralize the Department of Health and Welfare.

34 round up ~
The leaders of the illegal coal workers strike were **rounded up** and taken to the county jail.

～として通用する，～と見なされる
週1回教会に行くだけで，敬虔な信者として通用しようなどと彼はすべきではない。

～を段階的に廃止［排除］する
1980～90年代，コンピューターは操作が簡単になり，値段も安くなったので，携帯ワープロは次第に消えていった。

～をいじめる （= bully, tease）
現場監督が若手の従業員たちをいじめ，はっきりとした理由もなしに怒鳴ってばかりいる様子は，ひどいものだった。

（景気・病気などが）回復する （= recover）
昨夜，祖父の体調が回復したので，医師は彼をICU（集中治療室）から外に出した。

（～に）調子を合わせる
もし失業したくなければ，何であれ上司の言うことに調子を合わせることを勧める。

（困難・危機など）を切り抜ける （= tide over ～, survive ～, weather ～）
教会からもらったお金のおかげで，妻も私も失業していた1年を切り抜けられた。

（お金など）を蓄える
いつの日かパリ行きの航空券を買えるように，私は毎月40ドルを貯金している。

（意見・案など）を提出する （= submit ～, turn in ～）
次の会議で，私は保健福祉省を分散化する計画を提出するつもりだ。

（犯人など）を一斉検挙する
炭坑労働者の違法ストのリーダーたちは一斉検挙され，郡拘置所へ連行された。

35 rule out ~
He became a champion because he worked hard for years and never **ruled out** the possibility of success.

36 show through
The newscaster tried to keep his feelings from **showing through**, but everyone could see he was upset.

37 sign up (for ~)
I **signed up for** the volleyball team and was told practice begins Thursday.

38 single out ~
Why did the Advertising Association **single out** the cookie commercial for an award of excellence?

39 size up ~
A fire marshal must **size up** a forest fire quickly so that he can get the correct number of fire fighters to the scene.

40 stick around
Be sure to **stick around** until midnight. That's when Miller will open the best wine.

41 stir up ~
Reports that the Chairman of the Stock Exchange had received a secret compensation package **stirred up** a lot of excitement.

42 subscribe to ~
The entire physics department **subscribes to** the Big Bang theory to explain the origins of the universe.

43 take on ~
Do not **take on** the government in this fight unless you have a lot of money to spend on lawyers' fees.

（可能性など）を排除［除外］する（= exclude）
彼がチャンピオンになれたのは，長年懸命に精進して，成功の可能性を排除しなかったからである。

表面に現れる
ニュースキャスターは感情が表に出ないように努めたが，彼が怒っていることは全員がわかった。

（〜に）署名して登録する
バレーボールチームに入部したら，練習は木曜日から始まると言われた。

〜を選び出す
広告協会は，なぜあのクッキーのコマーシャルを優秀賞に選出したのだろうか。

（人・状況など）を判断［評価］する（= judge, estimate, evaluate）
消防隊長はすばやく森林火災の状況を判断して，適切な数の消防隊員を現場に急行させなくてはならない。

近くにいる，辺りをぶらぶらする
午前0時まで必ずこの辺りにいて。そのころにミラーが一番いいワインを開けるから。

〜をかき立てる
証券取引所の代表が秘密の待遇を得ていたという報道は，大いに人々の興奮をかき立てた。

〜に同意する（= agree with 〜），〜を予約購読する
物理科の全員が，宇宙の起源を説明するビッグバン宇宙論に同意している。

〜と対戦する，（責任など）を担う（= assume）
弁護士費用に支払う大金がないのなら，この争いで政府と闘うのはやめなさい。

44 tell off ~
The customer, upset by a poor quality meal, **told off** the waiter. The chef, however, should have been blamed.

45 touch on ~
Yesterday, we just **touched on** the issue of deregulation. Today, we'll discuss it in more detail.

46 track down ~
That young reporter traveled through Mexico, trying to **track down** the birthplace of the burrito, a kind of Mexican sandwich.

47 turn in ~
Wilkes worked hard to complete the inventory of the BBC record archives and felt nothing but satisfaction when he **turned** it **in** to his boss.

48 wear off
The name of the ballet company that was printed on Melissa's toe shoes had completely **worn off**.

49 weed out ~
The arrests are signs that the Liberal Democratic Party has begun a campaign to **weed out** corrupt officials.

50 wrap up ~
A parade through the downtown business district will **wrap up** the town's centennial celebration.

〜を叱る （= scold, reprimand, reproach）
その客はまずい料理に腹を立て，ウエーターを叱りつけた。しかし，料理長こそ責められるべきであった。

〜に触れる （= briefly mention）
昨日は，規制緩和の問題に触れただけでした。今日はそれについてもっと詳しく話し合いましょう。

〜を突き止める，探し出す
その若いレポーターはメキシコ中を旅行し，ブリトー（メキシコ風サンドイッチの一種）の発祥地を突き止めようとした。

（書類など）を提出する （= submit 〜 , hand in 〜）
ウィルクスは一生懸命に仕事をして BBC の記録文書の目録を完成させ，上司にそれを提出したときは，ただただ満足感に浸っていた。

すり切れる
メリッサのトウシューズにプリントされていたバレエ団の名前は，完全にすり切れてしまっていた。

〜を除去する （= get rid of 〜 , root out 〜 , eliminate 〜 , eradicate 〜）
その逮捕は，自民党が汚職公務員を一掃するキャンペーンを始めたというしるしである。

〜を締めくくる
中心部のオフィス街を通るパレードが，町の創立百年祭を締めくくることになる。

トレーニング

以下の句または文の空所に意味上入るものを，選択肢の中からそれぞれ選びなさい（同じものは2度使わない）。一部に動詞の活用を要する場合があるが，選択肢はすべて原形で与えてある。

1 **(1)** (　　) a catch phrase for the new product
(2) (　　) some money for her farewell gift
(3) Guess who I (　　) the other day?
(4) He couldn't (　　) what I was trying to say.
(5) I don't (　　) going to the office today.
(6) The meeting (　　) for more than two hours.

 1 bump into **2** chip in **3** come up with **4** drag on
 5 feel up to **6** figure out

2 **(1)** (　　) a new idea
(2) (　　) for the workshop
(3) (　　) some money every month
(4) (　　) the customer's name and phone number on a memo pad
(5) (　　) to the workers' demands
(6) get the problems (　　)

 1 give in **2** iron out **3** jot down **4** put aside
 5 put forward **6** sign up

3 **(1)** (　　) controversy
(2) (　　) responsibility
(3) (　　) those players who haven't performed well in recent games
(4) How do you (　　) the situation?
(5) Let's (　　) the meeting for today.
(6) The effects of the medicine (　　).

 1 size up **2** stir up **3** take on **4** wear off
 5 weed out **6** wrap up

解答と解説

1 解答　※（⇒ 00）は対応する例文の番号を示しています。
(1) **3**（⇒ 9）　(2) **2**（⇒ 8）　(3) **1**（⇒ 5）　(4) **6**（⇒ 13）
(5) **5**（⇒ 12）　(6) **4**（⇒ 10）

訳
(1) 新製品のキャッチフレーズを考え出す
(2) 彼女の餞別用に少しずつお金をカンパする
(3) この間，誰に鉢合わせたと思う？ [bumped into]
(4) 彼には私の言いたいことを理解することができなかった。
(5) 今日は会社に行きたくない。
(6) 会議が 2 時間以上もダラダラと続いた。[dragged on]

2 解答
(1) **5**（⇒ 33）　(2) **6**（⇒ 37）　(3) **4**（⇒ 32）　(4) **3**（⇒ 21）
(5) **1**（⇒ 17）　(6) **2**（⇒ 20）

訳
(1) 新しい考えを提案する
(2) ワークショップに登録する
(3) 毎月少しずつお金を貯める
(4) 顧客の名前と電話番号をメモ帳に書き留める
(5) 社員たちの要求に屈する
(6) 問題を解決する [ironed out]

3 解答
(1) **2**（⇒ 41）　(2) **3**（⇒ 43）　(3) **5**（⇒ 49）　(4) **1**（⇒ 39）
(5) **6**（⇒ 50）　(6) **4**（⇒ 48）

訳
(1) 物議を醸す
(2) 責任を取る
(3) 最近の試合で成績が振るわなかった選手を一掃する
(4) 状況をどう判断しますか。
(5) 今日の会議は終わりにしましょう。
(6) 薬の効き目が薄れた。[wore off]

実践問題

1 To complete each item, choose the best word or phrase from among the four choices. Then, on your answer sheet, find the number of the question and mark your answer.

(1) Due to the fact that the team leader was so (　　), some of his staff either quit or asked for a transfer.
　　1 arrogant　　**2** manifest　　**3** momentous　　**4** alluring

(2) The lawyers (　　) the contract to make sure that all terms of the agreement were included in detail and that there were no errors.
　　1 galvanized　　**2** eradicated　　**3** disseminated　　**4** scrutinized

(3) Many teachers at the local high school are concerned about the growing (　　) among their students. Students often come to class late and put almost no effort into their studies.
　　1 apathy　　**2** ferment　　**3** decorum　　**4** diligence

(4) The flame of the candle (　　) in the wind, so Jane shut the window to prevent it from going out.
　　1 flourished　　**2** sparkled　　**3** flickered　　**4** sprinkled

(5) The archaeologists dug up a number of ancient (　　) at the burial site. Their discoveries would later be displayed at several historical museums.
　　1 sediments　　**2** artifacts　　**3** particulars　　**4** consignments

(6) *A*: I didn't know that Chapter 12 would be covered on the exam, Professor Barkley.
　　B: Greg, I (　　) told the class what chapters to study before the test. No one else misunderstood me.
　　1 deceitfully　　**2** randomly　　**3** erratically　　**4** explicitly

(7) With the opening of the huge mall, the family-run grocery store is trying hard to survive. However, its prices are no longer competitive, so its downfall is (   ).
1 unshielded   **2** indistinct   **3** unwieldy   **4** inevitable

(8) Most cold medicines won't cure a cold, but they can help (   ) certain symptoms, like a sore throat or runny nose.
1 illuminate   **2** alleviate   **3** incarcerate   **4** accentuate

(9) To increase the rate of return on the customer satisfaction surveys we're e-mailing out, we need to offer some kind of (   ), such as a free dessert coupon for any of our restaurants.
1 procurement   **2** enhancement   **3** incentive   **4** deferment

(10) Employees of the company feared losing their jobs if they complained, so much of their criticism toward management was (   ).
1 bogus   **2** daunted   **3** muted   **4** tedious

(11) *A*: Only eight members of our baseball team showed up for the game, so we had to (   ) it.
B: That's too bad. That's your team's first loss of the year.
1 forfeit   **2** berate   **3** disclaim   **4** violate

(12) *A*: If you're ever in our neighborhood, why don't you (   )?
B: I'll do that. I'd love to see your new home.
1 drop over   **2** fall through   **3** turn down   **4** fall out

(13) *A*: I can't believe how quickly this new dance is (   ).
B: I know. It seems like everybody's doing it these days.
1 holding up   **2** catching on   **3** pulling in   **4** sticking out

解答と解説

(1) **訳**：班長が非常に**傲慢**であるという事実のために，スタッフの中には辞職したり，異動を願い出たりする者がいた。

選択肢 1「傲慢な」　2「明白な」　3「重大な」　4「魅力的な」

解説 the team leader という「人」を主語にできるものは **1** か **4**。Due to による因果関係や，主節のマイナスな内容から **4** ではなく **1** に決まる。

解答　1

(2) **訳**：弁護士たちは契約書を**精査**して，あらゆる合意の条件が詳細に盛り込まれていることと，間違いが一切ないことを確かめた。

選択肢 1「電気ショックを与えた」　2「根絶した」　3「流布した」　4「精査した」

解説 the contract「契約書」を目的語にとるものは **4** のみ。名詞形は scrutiny。**3** は disseminate A to B「A を B に広める」の語法が重要。

解答　4

(3) **訳**：地元の高校教員の多くは，生徒たちに広がる**無関心**を心配している。生徒たちは遅刻してくることも多いし，学業に全くといっていいほど努力を注いでいない。

選択肢 1「無関心」　2「発酵」　3「礼儀正しさ」　4「勤勉」

解説 「スチューデント・アパシー」としてカタカナ語にもなっている単語。political apathy「政治的無関心」などの用例も頻出。a-「超越（≒否定）を表す接頭辞」+ (sym)pathy「共感」，と考えるとわかりやすい。

解答　1

(4) **訳**：ろうそくの炎が風で**点滅した**ので，ジェーンは窓を閉めて，ろうそくが消えないようにした。

選択肢 1「繁栄した」　2「きらめいた」　3「点滅した」　4「まき散らした」

解説 flicker は擬音語で，点滅時の「チラチラ」という音を表現した語。**1** は flower の動詞形で「花開く」⇒「繁栄する」。**4** は名詞の「スプリンクラー（芝生などへの自動水撒き器）」が日本語に入っている。

解答　3

(5) **訳**：考古学者たちは墓地遺跡で多数の古代の遺物を発掘した。彼らの発見は後にいくつかの歴史博物館で展示されることになった。
選択肢 1「堆積物」 2「遺物」 3「明細」 4「委託販売」
解説 archaeologist「考古学者」, dig up「~を発掘する」(= excavate), burial site「墓地遺跡」などのキーワードから 1, 2 には絞り込みたい。4 は consignment (of) goods「委託販売品」の形が重要。 **解答** 2

(6) **訳**：A: 第12章も試験範囲だとは知りませんでした，バークレー教授。
B: グレッグ君，試験前にどの章を勉強すべきか，クラスのみんなにはっきりと教えましたよ。誤解したのは君だけです。
選択肢 1「偽って」 2「でたらめに」 3「不規則に」 4「はっきりと」
解説 explicitly「明示的に」(= clearly, apparently, manifestly) ⇔ implicitly「暗示的に」が反意語のペア。1 は deceive 動, deception 名 の派生語。2 は同義語 haphazardly が重要。 **解答** 4

(7) **訳**：巨大なショッピングモールの開店とともに，その家族経営の食料雑貨店は生き残りに必死である。しかし，価格がもはや競争に勝てないので，その衰退は避けられない。
選択肢 1「保護されていない」 2「不明瞭な」 3「扱いにくい」
4「不可避の」
解説 inevitable = unavoidable は基本単語。古英語の evite「~を避ける」という動詞に由来するが，この動詞は現在は使われず，形容詞の inevitable のみが使われる。 **解答** 4

(8) **訳**：風邪薬の大半は風邪を治しはしないが，特定の症状（のどの痛みや鼻水など）を緩和する助けにはなる。
選択肢 1「~を明るくする」 2「~を緩和する」
3「~を投獄［監禁］する」 4「~を強調する」
解説 2 は alleviate pain「痛みを和らげる」など医学的文脈で使われやすい語である (cf. alleviate boredom「退屈を紛らわす」)。4 は accent「アクセント」を置く⇒「~を強調する」と考える。1 は名詞の「イルミネーション」が日本語に入っている。 **解答** 2

(9) **訳**：Eメールで送った顧客満足調査の返送率を上げるために，何らかの**インセンティブ**を提供する必要がある。例えば，当社のレストラン全店で使える無料のデザートクーポンなどである。

選択肢 1「調達」 2「強化」 3「インセンティブ」 4「延期」

解説「インセンティブ」はビジネス分野ではカタカナのままで使われる単語で，金銭的報奨などを遠回しに言ったもの。動詞の defer「延ばす，任せる」の名詞形は，deferment「延期」，deference「敬意」の2種類を押さえておきたい。　　**解答** 3

(10) **訳**：社員たちは不満を言って仕事を失うことを恐れたので，経営陣に対する彼らの批判の大半は**言葉にならなかった**。

選択肢 1「偽造の」 2「おじけづいた」 3「無言の」 4「退屈な」

解説 テレビのリモコンなどで，消音ボタンに mute という名前がついているので，それで知っていれば早い。4は同義語に boring, tiring, tiresome, weary などがある。　　**解答** 3

(11) **訳**：A: うちの野球チームの8人しか試合に来なかったから，試合を**没収され**なくてはならなかったんだ。
B: それは残念だね。君のチームの今年の初敗戦だもんね。

選択肢 1「～を没収される」 2「～を叱る」 3「～を否認する，～を放棄する」 4「～を侵害する」

解説 forfeit the game [match]「試合を没収される」，forfeited game [match]「没収試合」がセットフレーズ。スポーツの専門用語で，没収された側のチームは不戦敗になる。2は berate A for B「AをBのせいで叱る」の語法，3は名詞 disclaimer「免責事項」が重要。　　**解答** 1

(12) **訳**：A: うちの近所に来ることがあったら，**立ち寄って**くれないか。
B: そうするよ。君の新しい家も見てみたいし。

選択肢 1「立ち寄る」 2「失敗する」 3「～を拒否する」 4「口論する」

解説 stop over「立ち寄る」，stopover「（飛行機の）途中降機地」との類似性から drop over を選べていればよい。　　**解答** 1

(13) **訳**：*A*: この新しいダンスがこんなにも早く流行するなんて信じられないな。
B: そうだね。最近みんながやっているみたいだもんね。

選択肢 **1**「持続する」　**2**「流行する」　**3**「(車が)道路脇に寄って止まる」
4「突き出る」

解説 catch on = become popular [common] である。この on は副詞。**1** の hold up は他動詞的に使うと delay「〜を遅らせる」の意味がある（受動態の be held up で使われることが多い）。

解答 **2**

CHAPTER 2
読解問題

- 読解問題の形式 ………… **76**
- 読解問題の傾向 ………… **80**
- 読解問題に必要な力 …… **84**
- 実践問題 ………………… **130**

読解問題の形式

大問 2 長文の語句空所補充問題

- 出題数　　　2題(6問)
- 配　点　　　各1点
- 長文の語数　240〜260語

形式
長文の空所に入る，文脈に合う適切な語句を4つの選択肢から選ぶ

出題のねらい
文脈や文法構造から，文章を論理的に読み取る力を問う

テスト紙面

Grade Pre-1

2 Read each passage and choose the best word or phrase from among the four choices for each blank. Then, on your answer sheet, find the number of the question and mark your answer.

Marine Waste

In 2001, the New York City Metropolitan Transportation Authority sank 1,300 old subway cars off the Atlantic coast. Although this sounds irresponsible, the intention was to create artificial reefs that would attract new species into waters with little aquatic life. The impact of this scheme (**26**). Fishermen were soon making the most of the many tuna, mackerel, and sea bass that had taken up residence.

Despite the success of this and other similar programs, environmentalists fear such ideas could be used as an excuse for widespread and random dumping of household and industrial waste at sea. Waste disposal is already thought to be (**27**) the natural balance of the world's oceans. A 10-year study by the British Antarctic Survey (BAS) discovered that floating garbage, such as plastic bottles, is allowing alien species to invade new areas, often driving out native species.

Marine organisms have always attached themselves to natural debris, such as coconuts and driftwood, as a way to colonize new regions. (**28**), however, is that natural debris offers only limited protection against the weather. Man-made waste provides shelter for longer, allowing species to travel further. For example, the BAS study reported a threefold increase in alien species at higher, colder latitudes. According to marine biologist David Barnes, invading species "have the capacity to drastically and permanently change these ecosystems." Given these issues, many governments believe that stricter international guidelines are needed to determine what is or is not acceptable to dump at sea.

(26) **1** proved less than desirable **2** was certainly dramatic
3 can no longer be seen **4** is not yet obvious

(27) **1** causing a disturbance in **2** helping the recovery of
3 having little impact on **4** diverting attention from

(28) **1** A mistaken belief **2** The hope
3 A possible solution **4** The difference

大問 3 長文の内容一致選択問題

- 出題数　　　3題(10問)
- 配　点　　　各2点
- 長文の語数　300～500語

形式
長文を読み，その内容に関する質問の答えを4つの選択肢から選ぶ

出題のねらい
ある程度専門的な内容の長文を読み，その内容を理解する力を問う

Grade Pre-1

3 Read each passage and choose the best answer from among the four choices for each question. Then, on your answer sheet, find the number of the question and mark your answer.

The Sound of Stone Age Music

A nine-inch bone flute recently found in southwest Germany has caused a stir among archaeologists. Nicholas Conard, the leader of the University of Tübingen excavation team, believes it is the oldest musical instrument ever discovered. The flute has been dated to 35,000 years ago, when Stone Age settlers were just arriving in Europe from Africa. It is made from the naturally hollow wing bone of a vulture, and has a delicately carved mouthpiece and five carefully spaced finger holes. Attributed to *Homo sapiens*—modern humans—the find is viewed by some archaeologists as proof of a sophisticated cultural tradition existing at the time of the Stone Age. This idea has been proposed before but lacked evidence until now.

(32) The discovery made by Nicholas Conard and his team has attracted attention among archaeologists because

  1 it demonstrates that the use of tools by humans in the Stone Age was less widespread than archaeologists had imagined.
  2 it shows that the culture of *Homo sapiens* had already greatly changed before the beginning of the Stone Age.
  3 it reveals that there were close cultural similarities between different species of humans in the Stone Age.
  4 it seems to provide evidence that the culture of *Homo sapiens* in the Stone Age was more advanced than was widely accepted.

(33) What does Conard now believe regarding Stone Age human societies?

  1 The fact that *Homo sapiens* developed music is probably one reason the species survives today.
  2 The modern view held by archaeologists that *Homo sapiens* could communicate with other species of humans is not true.
  3 Neanderthals spent more time enjoying leisure activities than earlier

読解問題の傾向

大問 2 長文の語句空所補充問題

●長文のジャンル

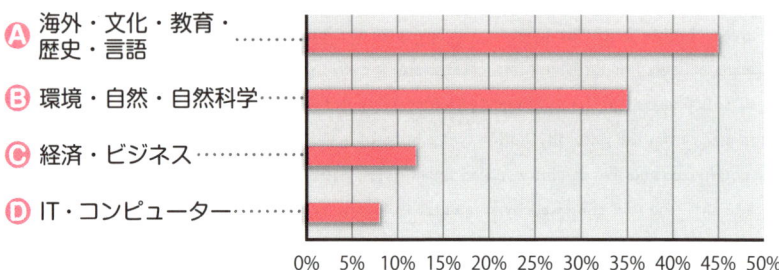

- A 海外・文化・教育・歴史・言語 …… 約45%
- B 環境・自然・自然科学 …… 約35%
- C 経済・ビジネス …… 約12%
- D IT・コンピューター …… 約8%

●扱われる国・地域

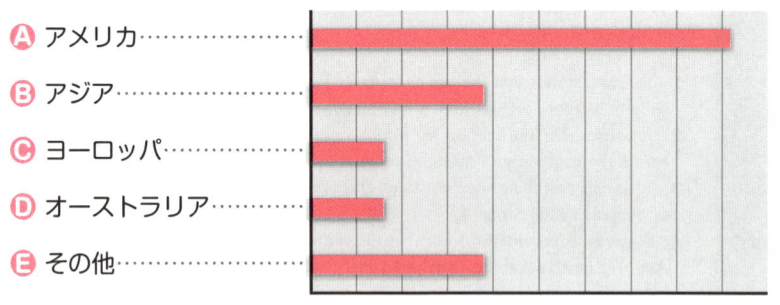

- A アメリカ …… 約47%
- B アジア …… 約20%
- C ヨーロッパ …… 約8%
- D オーストラリア …… 約8%
- E その他 …… 約20%

● 問われる部分
- Ⓐ 述部（動詞＋目的語，目的語のみ，動詞のみ）
- Ⓑ 述部（be動詞など＋名詞［形容詞，分詞］）
- Ⓒ 接続詞および接続詞的用法の語句
- Ⓓ 主語名詞句
- Ⓔ その他

Ⓔ その他 14%
Ⓐ 述部（動詞＋目的語，目的語のみ，動詞のみ）46%
Ⓓ 主語名詞句 6%
Ⓒ 接続詞および接続詞的用法の語句 17%
Ⓑ 述部（be 動詞など＋名詞［形容詞，分詞］）17%

傾向と分析

　長文のジャンルは人文系のトピックから科学・技術系まで多岐にわたるが，扱われる地域としてはアメリカに関する話題が約半数を占めている。長文の内容の把握ではなく，「論理・展開」を把握する能力をはかる問題であるため，空所に接続詞（的用法の語句）を補充する設問が多いのではないかと思いがちだが，実際は，目的語を含む動詞を中心とした述部が空所になっている場合が多い。

（2005年度第 3 回～2009年度第 3 回のテストを旺文社で独自に分析しました）

大問 3 長文の内容一致選択問題

●長文のジャンル

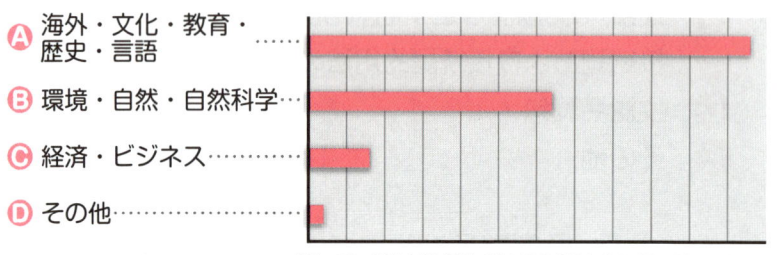

- A 海外・文化・教育・歴史・言語 …… 約57%
- B 環境・自然・自然科学 …… 約30%
- C 経済・ビジネス …… 約8%
- D その他 …… 約2%

(0% 5% 10% 15% 20% 25% 30% 35% 40% 45% 50% 55% 60%)

●扱われる国・地域

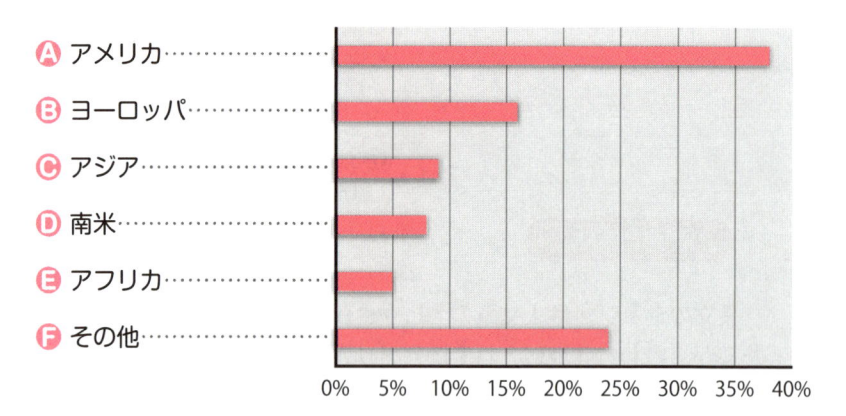

- A アメリカ …… 約38%
- B ヨーロッパ …… 約16%
- C アジア …… 約9%
- D 南米 …… 約8%
- E アフリカ …… 約5%
- F その他 …… 約24%

(0% 5% 10% 15% 20% 25% 30% 35% 40%)

●問われる内容

- **A** 部分・詳細を問う質問
- **B** 理由・根拠・プロセスを問う質問
- **C** 全体主旨・結論を問う質問

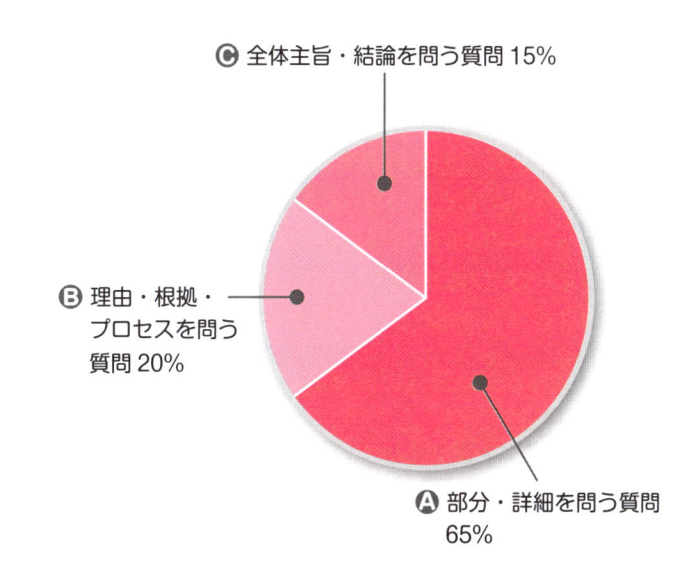

- **C** 全体主旨・結論を問う質問 15%
- **B** 理由・根拠・プロセスを問う質問 20%
- **A** 部分・詳細を問う質問 65%

傾向と分析

　長文の内容は多岐にわたるが，自然科学系の内容よりも海外の話題や人文系のトピックが多くなっている。話題となる地域は，アメリカの話題を扱うことが多い大問2と比較すると，ヨーロッパやアジアなど多様である。設問では，文章の一部が正解の根拠となる「部分・詳細を問う質問」が多く，半数以上を占めている。

（2005年度第3回〜2009年度第3回のテストを旺文社で独自に分析しました）

読解問題を解くために必要な力

❶ 文章の主題を理解する力

　文章の主題を理解する力とは、「できるだけ短時間で英文を読み、内容を正確に理解し、筆者の言いたいこと（主題）を把握する力」である。

　英検準1級の英文は、分量が多いだけでなく、使用される語彙も難しいものが多い。しかしながら、限られた時間の中で手際よく解答していくためには、何よりこの文章読解の時間を早めることが不可欠である。語彙力や文法力を高めるといったことも読解力向上には必要だが、英文の構成を知りトップダウン的に全体像を意識しながら読む姿勢も、読解のスピードアップに欠かせない観点なのである。英文のタイトルや人名、最後の1文など、注目すべきポイントは意外と多い。

❷ パラグラフ・リーディングができる力

　基本的に英文はパラグラフという概念に基づいて書かれており、またパラグラフの展開の仕方にも一定の規則がある。パラグラフ・リーディングができる力とは、こうした「パラグラフに関する知識を踏まえて英文を読み、すばやく正確に主題を理解することができる力」である。

　このパラグラフの考え方を知っておくと、何よりも英文全体のつながりを把握することが容易になり、英文の主題を読み取る近道になるのである。英文の全体像を踏まえた上で、規則的に展開していく内容を追っていくわけであるから、英文の先を予測していくことにもつながり、必然的に読解のスピードアップが図れることになる。

❸ 文章の構成パターンとつなぎ言葉を読み取る力

　パラグラフ・リーディングはあくまで英文全体のおおまかな骨組みを理解するための方法であったが，さらにもう一歩内容にまで踏み込んでいくと，文章の構成パターンへとつながってくる。文章の構成パターンは「時間配列」や「原因・結果」などいくつかの典型例に分類でき，さらにそれぞれのパターンでよく使われるつなぎ言葉が存在する。言い換えれば，それらつなぎ言葉を手繰り寄せていけば，そこに書かれている展開パターンが予測できるのである。

　つまり，文章の構成パターンとそのつなぎ言葉を読み取る力とは，「文中のつなぎ言葉をすばやく読み取り，そこから英文の構成パターンを推測し，主題の把握につなげる力」と言える。パラグラフの概念に加えて，この構成パターンを意識して読解を行うことは，読解のスピードだけでなく，内容理解そのものを高めることにもつながる。

❹ 未知語の意味を文脈から推測する力

　まずパラグラフの観点から全体像を踏まえて，続いてつなぎ言葉を基に構成パターンを念頭に置きつつ読解を進めていくと，最終的には個々の語にたどり着く。冒頭でも触れたように準1級の英文に使用される語彙は決して容易なものではなく，未知語に出くわすこともしばしばであろう。したがって，未知語の意味を文脈から推測する力は欠かせないものと言える。

　未知語の意味を文脈から推測する力とは，「未知語の前後関係に焦点を当て，構成パターンをヒントにしながら，言い換えや内容説明，類似表現などの観点から未知語の意味を大まかに読み取る力」である。未知語の意味そのものは明確にわからないとしても，英文の内容から，また前後関係からある程度の大まかな意味を推測できることが多い。その際に，これまでに見てきた ① 主題，② パラグラフ，③ 構成パターンのそれぞれの考え方も大きなヒントになることを忘れないでほしい。

❶ 文章の主題を理解する

　読解力を高めるためにはまず，何について書かれているのかという文章の主題を，どれだけ短い時間で，どれだけ正確に読み取れるか，が必要となる。

　英検でも準1級レベルともなると，新聞の社説・論説や雑誌記事など，比較的フォーマルな文章を読み解く能力が試されることが多い。こうしたフォーマルな文章は1つの明確な主題に沿って，統一性 (unity) と一貫性 (coherence) を持って書かれていることが多く，一定のパターンがあることを知っておくと，それだけ主題を理解することが素早く確実にできるようになる。

　文章の主題をつかむための一般的なコツとして，次の5つの方法を覚えておこう。

1 文章のタイトルを読む

　タイトルは文章の主題を示唆している場合が多いので，注意して読むようにする。例えば，次のような例を見てほしい。

> Kids and TV (2008-3)　　Is the Dead Sea Dying? (2008-3)
> Carbon Offsets (2008-2)　SubTropolis (2007-3)

　これらは，実際に英検準1級の過去の試験で出題されたものである。下段の2つは語彙として知らなければ皆目見当もつかない人もいるかもしれないが，逆に上段の2つのタイトルのように，馴染みのある語がタイトルに含まれている場合はある程度文章の内容が予測できる部分が多いため，心理的にも有利に働き，トップダウン的に読み込みを進めることが可能となることを，ぜひ心に留めておいてほしい。

2 最初の段落の数行を読む

　たいていの文章では，冒頭の段落は文章全体のキー・パラグラフとなっている場合が多いので，最初の段落の数行はじっくり読むようにする。また，多くの場合は文章全体のトピック・センテンスは最初の段落で示される傾向にある。つまり，その一文を押さえることができれば，上記のタイトルや見出しと併せて，文章全体でどのようなトピックをどのような方向に膨らませていくのかという点に関して，ある程度の方向性が見えてくることが多い。

　上記の SubTropolis の例で見てみよう。次の英文は，第1段落の冒頭の3つの英文である。

① 文章の主題を理解する

【1st paragraph】
　A former limestone mine outside Kansas City, Missouri, has grown into a busy commercial and industrial zone. SubTropolis, whose name is taken from "subsurface" and "metropolis," is a government-approved facility of more than 1.8 million square meters of usable space — all below the earth's surface. It boasts 50 industrial parks containing some 400 businesses. …

　一見しただけでは何のことかよくわからないタイトルの SubTropolis の語源が明快に説明されているとともに，それが「地下に展開されている政府公認の広大な工業団地」のことであるという説明が続いている。この時点で，これ以降の文章では，SubTropolis の説明や利点・問題点などの話が続くのではないかという大枠がイメージできるはずである。

3 各段落の最初の行を読む

　第2段落以降でも，各段落のトピック・センテンスが冒頭，特に最初の一文に置かれている場合がほとんどである。そのため，ある程度の長さを持った文章を読む場合には，各段落の最初の行を注意深く読むようにしよう。ここでも，先ほどの続きとして，SubTropolis の各段落の冒頭の英文を見てみよう。

【2nd paragraph】
　As well as the financial benefits, the safe and controlled subsurface environment is perfect for companies like Underground Vaults and Storage (UV&S), which deals with highly sensitive motion-picture reels. …

【3rd paragraph】
　Subsurface developments such as SubTropolis are seen by many as a win-win situation for businesses and local communities. …

【4th paragraph】
　However, subsurface development is not wholly without risk. …

【5th paragraph】
　Clearly, close monitoring of underground storage space used for toxic waste is vital. …

各段落の冒頭の一文だけであるが，こうして並べて見てみると，第2・第3段落でSubTropolisの利点が述べられる反面，第4段落では逆にそのリスクについて言及され，最後の段落でも有毒廃棄物の地下貯蔵に対する警鐘が鳴らされていることがわかるだろう。この程度まで文章の大枠があらかじめつかめていれば，文章の主題は自ずと見えてくるはずである。

4 最後の段落を読む

どのような文章にも当てはまることだが，最後の段落は文章全体のまとめの役割を果たすので，特に長文を読む場合はじっくりと読むようにする。文章全体の主題が，改めて要約されていることが多いからである。SubTropolisの最終段落は次のようになっている。

> 【5th paragraph】
> Clearly, close monitoring of underground storage space used for toxic waste is vital. Yet with their enormous space and relative safety, subsurface facilities are uniquely suited for the task. In fact, given increasing environmental restrictions and space limitations on the earth's surface, utilizing underground complexes may end up being an option we cannot afford to ignore.

文章全体を通してSubTropolisの利点と問題点をざっと眺めた上で，最後の段落の結びで「相対的に見ると，地下利用は今後ますます広がっていく可能性が大きい」とまとめている。つまり，この文章の主題として，筆者は「SubTropolisのこれからの可能性に期待している」ことが読み取れるだろう。

5 数値や人名，日付などに注意する

数値や人名，日付などの情報は，文章の中では比較的把握しやすい部分である。これらは，いわゆる5W1H (Who, What, When, Where, Why & How) に関する重要な情報であることが多く，文章の全体像の把握に役立つ。これまでに見てきたSubTropolisの文章でも，数値や固有名詞が散見されていることにお気づきであろう。

以上，文章の主題を理解するための5つの方法を概説してきた。繰り返しになるが，英語の文章は1つの中心的なテーマに沿って，統一性と一貫性を持って書かれている場合が多く，それゆえにその典型的な構成を頭に入れておけば，それだけ文章の主題は理解しやすいと言えるのである。

トレーニング 1

次の英文を主題に注意しながら読み，以下の質問に対して最も適切なものを **1**～**4**の中から1つずつ選びなさい。

Connoisseurship on Trial

1 'Connoisseurship' is the term for the study of paintings in order to determine who painted them. By examining closely works of art, connoisseurs develop the ability to recognize a particular artist's style. On the basis of this knowledge, they claim to be able to determine whether paintings are really by the artist they are said to be by or whether they are merely copies. Connoisseurs often have a close relationship with art dealers and museums because their decisions affect the value of paintings, marking them as priceless originals or worthless fakes.

2 Although the skills of connoisseurs are rarely judged in a public trial, in 1920, exactly that happened. In that year, a young couple, Harry and Andree Hahn, returned to the United States from Paris. They brought with them a painting that they said was by Leonardo da Vinci. They then began looking for a buyer, and a museum in Kansas expressed an interest. A journalist who heard the story telephoned Joseph Duveen, a famous London art dealer, and asked him for his opinion. He immediately insisted that the painting was merely a copy of one in the Louvre museum in Paris. When his comments were published, the museum in Kansas changed its mind and the furious Hahns decided to take Duveen to court.

3 When the trial began, Duveen gathered together a number of famous connoisseurs who asserted that the painting was not a genuine Leonardo. Such complete agreement between connoisseurs was actually quite unusual and so at first Duveen was sure that he would win the case. Yet, as the trial proceeded, it became clear that most of the jury sided with the Hahns. The connoisseurs could provide no objective evidence but could only appeal to their intuition. Moreover, the Hahns' lawyer was able to show that they did not agree with each other about who had painted the original picture in the Louvre, further undermining their credibility as experts. In the end, the jury could not agree and Duveen paid the Hahns 60,000 dollars to drop the case.

4 Since then, more scientific methods of judging the origin of paintings have been developed, such as chemical analysis of the paints used. Ironically, these tests suggest that Duveen's experts were right in their view of the Hahns' painting. Yet these methods, while they can show when and where a painting was painted, still cannot show conclusively who painted it. For that, the mysterious skills of the connoisseur still remain essential.

(1) How does one learn to be a connoisseur?
  1 By studying the different styles of master painters.
  2 By making copies of famous works of art.
  3 By establishing contacts with art dealers.
  4 By demonstrating one's skills in public.

(2) Why did the Hahns become so angry?
  1 Their painting turned out to be the same as one owned by a famous museum.
  2 They realized that they had been cheated when they bought their painting.
  3 A journalist revealed that they had been lying about the painting they owned.
  4 An art dealer influenced the museum in Kansas against buying their painting.

(3) Why did Joseph Duveen feel so confident at first?
  1 His opponents were not specialists in the field of connoisseurship.
  2 The experts he asked all expressed the same opinion as he had.
  3 He had won the support of museums in America and France.
  4 Most members of the public believed the painting was a copy.

(4) Which of the following best expresses the writer's overall opinion of connoisseurship?
  1 Although it seems conclusive, it may well be flawed because connoisseurs have made many errors in the past.
  2 Although it has a certain limited usefulness, we should be careful not to rely on it too much.
  3 Although it is not scientific, it is still the only way to decide who really painted a painting.

4 Although it was necessary in the past, it has now been replaced by much better methods.

解答と解説

解答
(1) 1　　**(2)** 4　　**(3)** 2　　**(4)** 3

解説
(1)
　Connoisseurship という用語がタイトルに見られるが，第1段落を読み始めると，いきなり最初の文で定義が説明されており，「絵画の作者（の真偽）を見極める絵画研究の用語」だとわかる。さらに続いて，その眼力を養うために「鑑定家たちは芸術作品をつぶさに観察することで画家の特異な描写スタイルを判別する能力を身につける」と説明が加えられている。正解は **1** だが，正解にたどり着くプロセスとして，① タイトルに注目 → ② 最初の段落の数行を読むという手順を踏んでいることに注目してほしい。

(2)
　質問に Hahns とあるように，年代や地名，さらには複数の人名が立て続けに出てくるので，それらの関係を取り違えないようにすることが大切である。この設問の答えは，第2段落の流れを受けて，最後の一文に集約されている。ハーン夫妻がカンザス州の美術館に絵画を売却しようとしたところ，有名な美術商のジョゼフ・デュヴィーンがその絵画は贋作であると公表し，美術館がその絵画の買い取りを止めてしまったため，夫妻が法廷闘争に打って出たというわけである。

(3)
　この設問は，第3段落冒頭の2つの文を読むと正解にたどり着ける。デュヴィーンは自身の判断を立証するために，多数の有名な鑑定家を集めたところ，全員一致でデュヴィーン同様にその絵画が偽物であるという結論を出したのである。多くの後ろ盾を受けて，自身の判定に確信を持ったのも十分にうなずける。

(4)
　質問の内容が文章全体を受けての筆者の主張を問うものなので，この文章全体のトピックにかかわると同時に，まとめにもなっている最終段落に注目しよう。鑑定家の直観を排除すべくどんなに科学的技法を取り入れても，絵画が「いつ」，「どこで」描かれたかはわかるが「誰が」描いたかを決定づけるまでには至らず，結局は鑑定家の直観（鑑定眼）が現在唯一の信頼できる方法であると結論づけている。

全訳 鑑定眼が試される

　「鑑定眼」とは、絵画が誰によって描かれたものかを見極める絵画研究の用語である。芸術作品をつぶさに観察することにより、鑑定家は芸術家の特異なスタイルを見出す能力を身につける。この知識に基づけば、絵画が果たして本当に主張される芸術家のものであるのか、それとも単なるコピーなのかがわかるという。鑑定家は通常、美術品のディーラーや美術館と密接にかかわっている。なぜなら彼らの判断が絵画の価値に影響し、絵画が貴重な本物であるか、価値のない偽物であるかを決めてしまうからである。

　鑑定家の技術が公に真偽を問われることはほとんどないが、1920年にまさにそれが問われる出来事が起こった。その年、ハリーとアンドレ・ハーンという若い夫婦がパリからアメリカに帰国した。彼らはレオナルド・ダ・ヴィンチの作品であるという絵画を持ち帰っていた。絵画の買い手を探していたところ、カンザスの美術館が興味を示した。この話を聞きつけたジャーナリストが有名なロンドンの美術品ディーラー、ジョゼフ・デュヴィーンに電話をし、彼の意見を尋ねた。デュヴィーンはすぐに絵画はパリのルーブル美術館にある本物のコピーにすぎないと主張した。彼のコメントが公になると、カンザスの美術館は気が変わり、怒ったハーン夫妻はデュヴィーンを訴えることにした。

　裁判が始まるとデュヴィーンは、絵画がレオナルド・ダ・ヴィンチによる本物の絵画ではないと主張する著名な鑑定家を何人も集めた。このように鑑定家全員の意見が一致するのは現実にはきわめて珍しいことだったため、デュヴィーンは最初自分が必ず訴訟に勝つと思っていた。しかし、裁判が進むにつれ、陪審員のほとんどがハーン夫妻を支持していることが明白となった。鑑定家たちは、客観的な証拠を何一つ提示することができず、ただ直感に頼るだけだった。さらに、ハーン夫妻の弁護士がルーブル美術館のオリジナルの絵画が誰によって描かれたものかについて鑑定家たちの意見が一致していなかったことを明らかにできた。この結果、鑑定家たちは専門家としての信用を損なうこととなった。最終的に、陪審員たちは意見が一致せず、デュヴィーンはハーン夫妻に対して6万ドルを支払い、訴訟を取り下げることになった。

　それ以来、使われた絵の具の化学分析など、絵画が描かれた当時の状況を判断するためのより科学的な鑑定方法が開発された。皮肉なことにこれらの検査は、ハーン夫妻の絵画について下したデュヴィーンの専門家たちの見方が正しかったことを示唆する結果となった。しかし、この方法により、絵画がいつどこで描かれたのかについては明らかにすることができるが、結局誰が描いたのかまではいまだに断定することができない。というわけで、謎に包まれた鑑定家の技術はいまなお重要視されている。

(1) どうしたら鑑定家になれるのか。
 1 優れた画家のさまざまなスタイルを研究する。
 2 有名な芸術作品の複製をつくる。
 3 美術品ディーラーと関係を築く。
 4 公の場で技術を披露する。

(2) ハーン夫妻はなぜそんなに怒ったのか。
 1 彼らの絵画が有名な美術館が保有していた絵画と同じだとわかったから。
 2 絵画を買ったときにだまされていたと気づいたから。
 3 ジャーナリストが，彼らが所有する絵画について嘘をついていたと暴露したから。
 4 美術品ディーラーが，カンザスの美術館に彼らの絵画を買わないようにさせたから。

(3) なぜジョゼフ・デュヴィーンは初めそんなに自信満々だったのか。
 1 裁判の相手が鑑定の専門家でなかったから。
 2 彼が依頼した専門家たちが全員，彼と同じ意見だったから。
 3 アメリカとフランスの美術館から支持を得たから。
 4 世間一般の人のほとんどが，絵画が偽物だと信じたから。

(4) 鑑定に関する著者の全体的な意見を最も反映しているのはどれか。
 1 鑑定が決定的なように見えても，鑑定家は過去に何度も間違った鑑定をしているのでそれが確かでないこともある。
 2 鑑定にはある程度の実用性があるが，過度に信頼しないように気をつけるべきである。
 3 科学的ではないが，本当に誰の作品であるかを知るためには今なお唯一の方法である。
 4 過去には必要だったが，今でははるかに優れた方法に取って代わられている。

トレーニング 2

次の英文を主題に注意しながら読み，以下の質問に対して日本語で簡潔に答えなさい。

The Two Faces of Science

1 Nitrogen is both one of the most common and one of the most useful chemicals. It is essential to modern agriculture, forming the basis for many fertilizers and animal foods. Yet, despite the fact that 78 percent of our atmosphere consists of nitrogen, for a long time the chemical's supply was extremely limited. This is because it is very difficult to extract nitrogen from the air. The supply of usable nitrogen was limited to natural deposits, most of which are found in mines in Chile.

2   When, therefore, scientists found a way of creating ammonia — a compound of hydrogen and nitrogen — from the atmosphere, this began a revolution. The man chiefly responsible was the brilliant German chemist, Fritz Haber. Haber had been born in 1868 to a Jewish family in Breslau and, between 1894 and 1909, he worked at the University of Karlsruhe on finding a way to extract nitrogen from the air. By 1913, he had developed a way to produce large amounts of cheap ammonia. This discovery revolutionized agriculture, allowing for a huge increase in food production just at a time when the world's population was beginning to grow. Even today, it is estimated that one third of the world's population depends on food grown with nitrogen fertilizers.

3   Yet there was a darker side to his discovery. Nitrogen is also essential to the production of explosive weapons. Indeed, when the First World War began, production was quickly shifted to armaments. In fact, some people believe that without Haber's invention, the Germans would never have gone to war. Even worse, Haber, who was deeply patriotic, began to use his talents to develop poisonous gases as chemical weapons.

4   Haber's scientific gifts lead to one last terrible irony. After the war, his laboratory developed Zyklon B, a poison gas used as a pesticide. This same gas was later used by the Nazis to kill human beings, and many of Haber's own relatives were murdered with it. Haber himself had to leave Germany because of his Jewish ancestry in 1933. At first he went to England, but many scientists there refused to associate with him because of his work on chemical warfare. Finally, he accepted an invitation to settle in Palestine, but died on the journey there in 1934. Today his name remains a symbol of the terrible ambivalence of scientific progress in the modern world.

(1) How did people get usable nitrogen mostly before 1913?
(2) What kind of revolution did Haber's discovery of a way of creating ammonia from the atmosphere bring about?

(3) What was the darker side to Haber's discovery?
(4) What is the overall point of this passage?

解答と解説

解答

(1) 大気中から窒素を取り出すことが困難だったため，窒素は天然の鉱山からしか入手できず，そのほとんどをチリの鉱山から採取していた。

(2) 折しも世界的に人口増加が見え始めた時代に，農業分野で窒素肥料により食糧生産が大いに促進され，食糧需要を満たすという革命を起こした。

(3) 窒素の抽出が可能になったことによって，第一次世界大戦を背景として，生産には窒素が不可欠な爆発兵器や化学兵器の開発が盛んになり，それが人類への危害をもたらす結果になったこと。

(4) 現代科学の進歩が，人類に多大な恩恵をもたらすと同時に，脅威となる危害を与えることにもなってしまったということ。

解説

各段落のトピック・センテンスは，以下の通りである。なお，各トピック・センテンスがそれぞれの段落の冒頭に置かれていることを確認してほしい。

1 Nitrogen is both one of the most common and one of the most useful chemicals.
2 When, therefore, scientists found a way of creating ammonia — a compound of hydrogen and nitrogen — from the atmosphere, this began a revolution.
3 Nitrogen is also essential to the production of explosive weapons.
4 Haber's scientific gifts lead to one last terrible irony.

また，それぞれの段落の主題と展開の仕方は，次のようになっている。

1 かつて窒素は入手が困難な物質であった
2 科学の進歩（窒素抽出の成功）による人類への恩恵 ⇒ 農業革命
3 科学の進歩（窒素抽出の成功）による人類への脅威 ⇒ 兵器開発
4 科学の進歩には二面性がある

これらを押さえておけば，質問にも比較的容易に解答できると気づくだろう。

> **全訳** 科学の二面性

　窒素は最もありふれた，また最も有用な化学物質のひとつである。それは近代農業には不可欠であり，多くの肥料や動物の餌のもとになっている。しかし，大気の 78 %が窒素でできているにもかかわらず，この化学物質は長い間極度に供給が限られてきた。それは空気中から窒素を抽出することが非常に困難なためである。使用可能な窒素の供給は天然鉱床からの採取に限られ，そのほとんどがチリの鉱山に存在している。

　そのため，科学者が大気から水素と窒素の化合物であるアンモニアを生成する方法を発見したことは，革命の始まりであった。この発見に主にかかわったのは，ドイツの優れた化学者フリッツ・ハーバーであった。彼は 1868 年にブレスラウのユダヤ人家庭に生まれ，1894 年から 1909 年までカールスルーエ大学で空気中から窒素を取り出す方法を研究していた。1913 年までには，大量に安価なアンモニアを生産する方法を開発した。この発見は農業に革命を起こし，ちょうど世界の人口が増え始めた当時，食品生産の大幅な増加を可能にした。現在でも，世界人口の 3 分の 1 が窒素肥料で育成された食物に依存していると言われている。

　しかし，彼の発見には暗い一面があった。窒素は爆発物型の兵器の生産に不可欠なのである。実際に，第一次世界大戦が始まると，それまでの肥料生産がすぐに兵器の生産に切り替えられた。実は，ハーバーの発明がなかったら，ドイツは戦争を始めなかっただろうと言う人もいる。さらに悪いことに，非常に愛国心が強かったハーバーは，化学兵器としての毒ガスを開発するために自分の才能を使い始めた。

　ハーバーの科学における才能は，恐ろしく皮肉な最後をもたらすことになる。終戦後，彼の研究室はツィクロン B という殺虫剤として使われた毒ガスを開発した。この毒ガスは，のちにナチスによって殺人に使われ，ハーバーの多くの親戚がこのガスによって殺されることになる。1933 年，ハーバー自身もユダヤ系の血をひくためドイツを離れなければならなくなった。最初にイギリスへ渡ったが，多くの科学者は彼が化学兵器開発に取り組んだとして彼と関わることを拒否した。最後はパレスチナからの定住の招きを受け入れたが，1934 年に目的地に向かう旅の途中で亡くなった。今日，彼の名前は現代世界における科学的進歩の恐ろしい両面性を表す象徴となって残っている。

(1) 1913 年以前は，人々は主にどのように使用可能な窒素を得ていたか。
(2) 大気からアンモニアをつくる方法というハーバーの発見はどのような革命をもたらしたか。
(3) ハーバーの発見の暗い一面とは何か。
(4) この文章の要点は何か。

② パラグラフ・リーディングを理解する

前項で，文章の主題を理解するために各段落のトピック・センテンスを読む方法を学習した。ここでは，その段落（パラグラフ）という構成単位をもとに文章をよりよく理解する方法を学習していく。

1 パラグラフ・リーディングとは何か

日本語とは異なり，英文では一つ一つのパラグラフがアイデアの基本単位となり，1つのパラグラフに1つのトピックが含まれていることが多い。基本的に，パラグラフは1つの中心的アイデアとそれをサポートする文 (supporting sentences) から成り立っており，パラグラフを構成する複数の文の中から，そうした中心的アイデアやトピックを素早く読み取ることが，読解力を高めるポイントとなる。このように，パラグラフの構成を念頭に置きながらトピックを理解していく英文の読み方を，パラグラフ・リーディング (paragraph reading) と呼ぶ。

2 パラグラフ内の構成

英文では，パラグラフの最初の行でそのトピックが提示されることが多い。これをトピック・センテンス (topic sentence) と呼ぶ。つまり，冒頭部分がそのパラグラフの要点であり，後続する文は具体的な理由や例示，比較・対照などを通して，トピックを補足的に説明する役割を担う。パラグラフの典型的な構成例は，以下のとおりである。

> 【パラグラフ内の構成例】
> ①トピック・センテンス (topic sentence)：トピックについての筆者の主張
> ②支持文 (supporting sentences)：トピックを支持するための様々な記述
> ③結論文 (conclusion sentences)：トピック・センテンスの言い換え

なお，最後の結論文は，トピック・センテンスを改めて別の表現で言い換えただけの場合が多いので，省略されることもある。また，トピック・センテンスはパラグラフの冒頭に明示されない場合もあるが，いずれにしろパラグラフの最初の数行は注意深く読むようにしよう。そうすることで，後続する文の内容がある程度予測できるようになるからである。

3 パラグラフ間の構成

　文章全体を俯瞰して見ると，それぞれのパラグラフは文章全体の中で特定の役割を果たしている。先のパラグラフ内の構成と同じように，基本的には大きく3つのパートから構成されることが多い。

> 【パラグラフ間の構成例】
> ①導入パラグラフ (introductory paragraph)：
> 　文章全体のトピックに関する導入・紹介
> ②ボディ・パラグラフ (body paragraph)：トピックを様々な観点から展開
> ③結論パラグラフ (conclusion paragraph)：
> 　文章全体のトピックを改めてまとめたもの

　このように，通常の英文ではパラグラフが有機的に配列されているため，各パラグラフのトピックをつなぎ合わせると，文章全体の流れが明確になるように書かれている。したがって，各パラグラフの役割とパラグラフ間の結びつきを理解することは，英文読解に不可欠なのである。

4 パラグラフ・リーディングの実際

　それでは，実際に準1級の試験で出題された英文のパラグラフ構成を見てみよう。

Online Gaming in Korea

In South Korea, online gaming is huge. 支持① Seventeen million of the country's 48 million people play online games regularly. 支持② In many countries, a stereotypical online gamer may be a socially awkward teenager playing alone in their room. 支持③ Not so in South Korea: the most popular places to play online games are Internet cafés where people get together and let off steam.

Interestingly, it was an Asia-wide financial crisis in 1997 that led to the beginning of the online gaming trend. 支持① After receiving $65 billion from the

①導入パラグラフ
トピック：「韓国におけるオンラインゲーム」
サポート文：他国との状況比較の中で韓国でのオンラインゲームの人気の様子を付け加えている。

トピック・センテンスをもとに，続く支持文が様々な情報提供をしている

International Monetary Fund, the South Korean government invested heavily in the development of a nationwide high-speed broadband network, making access to the Internet extremely easy and cheap. 支持② Not surprisingly, then, South Korea's online gamers get started early. 支持③ A survey by the South Korean Ministry of Information and Communication reveals that 64 percent of 5-year-olds play online games, and that 93 percent of small children identified online games as the reason they use the Internet.

South Korea's latest national pastime has given rise to professional online gaming. 支持① The top South Korean players, sponsored by professional leagues and corporations, are truly world-class. 支持② In fact, South Koreans often perform well in international tournaments. 支持③ At the 2006 World Cyber Games, a sort of Olympics for online gamers, players from 70 countries battled it out in Italy. 支持④ Although the competition was fierce, South Korea was the Grand Champion. 支持⑤ In 2007, however, it was beaten by its main rival, Team USA. 結論 Whether the South Koreans can regain the top spot remains to be seen, but the popularity of online games continues nonetheless. (2008-2)

②ボディ・パラグラフ
トピック：「オンラインゲーム流行の原因はアジア金融危機」
サポート文：幼少時からインターネットに慣れ親しむ環境が整えられた状況を説明しながら導入パラグラフのトピックを展開している。

支持文は，トピック・センテンスの理由を説明するとともに，そこから導き出される因果関係を説明している

③結論パラグラフ
トピック：「オンラインゲームのプロ選手の存在」
サポート文：世界大会の様子を紹介しながら，オンラインゲームの人気は衰えそうにないと結論付けている。

最後の一文はこのパラグラフのまとめであると同時に，この文章全体のまとめの意味も持ち合わせており，導入パラグラフのトピックに再び関連付けて，この文章全体を締めくくっている

　このように，パラグラフの構成は極めて明快である。こうした文章構成の仕組みを知った上でのパラグラフ・リーディングには，様々なメリットがある。まず，パラグラフのトピックを把握していれば，文中に多少わからない語句があっても，文章の大意の理解に支障はない。また，各パラグラフの中心的アイデアを理解することで，文章を読むスピードも速くなり，内容理解も自然と深くなるのである。

トレーニング 1

次の英文を読み，パラグラフ間の構成を考えながら，各パラグラフの種類とトピックを日本語で答えなさい。

Scientists on the Scent of Change

1 As every child knows, flowers not only look nice, but they often smell nice too. Why, though, do so many flowers have scents? As with many of nature's other charms, scientific research has revealed that the delicious fragrances of flowers that we enjoy so much actually serve a very practical evolutionary function. In order to breed, most flowers rely on creatures such as bees, birds and bats — which are known as pollinators — to carry the pollen from one flower to another. In return, the flowers provide essential nutrition for these pollinators. It is necessary, therefore, for flowers to attract pollinators, and over time they have come to use scents to do this.

2 In recent years, techniques for analyzing and identifying flower fragrances have become much more sophisticated and research in this area has expanded dramatically. What we enjoy as scents are chemicals released by flowers into the air, and research has shown that the combinations of chemicals used by flowers are often extremely complex. By the 1990s scientists had collected some 700 different chemical compounds from 441 different plants. Some of the scents they analyzed contained only ten or so of these compounds, but others, such as those released by orchids, included as many as 100 different ingredients.

3 Why, then, are there so many different scents? Again, the answer is a practical one. It is very important for a plant that the pollinator should carry the pollen to another flower of the same species so that it is not wasted. For this reason, it is important that both the plant and the pollinator specialize. By having its own distinctive perfume, which can be easily recognized by the pollinator, the plant makes sure that it only visits flowers belonging to the same species as itself.

4 Unfortunately, recent research suggests that nature's wisdom is being removed by the air pollution caused by human beings. According to a study by the University of Virginia, as much as 90 percent of flower scents can be destroyed by pollution from cars or power stations.

Moreover, the team carrying out the research believes that this may help explain another recent phenomenon — the rapid decline in the number of wild bees and butterflies. Scents can travel great distances and these pollinators used to be attracted from miles away. Now, unable to find their way to more distant flowers, they are forced to compete for nutrition from flowers closer to home. Meanwhile, the flowers themselves are unable to attract sufficient pollinators and so their populations have begun to decline as well.

5 The scents of flowers may only be a source of pleasure for human beings, but some species rely on them for survival. We need to realize that our selfish acts are taking a heavy toll on their existence. More consideration towards nature's fragile ecosystems is a necessity to ensure that the survival of both flowers and pollinating creatures is made certain.

解答と解説

解答

1 **パラグラフの種類**：導入パラグラフ
   トピック：多くの花はなぜ香りを持っているのか。
2 **パラグラフの種類**：ボディ・パラグラフ（情報提供）
   トピック：花の香りは花が放つ化学物質によるものである。
3 **パラグラフの種類**：ボディ・パラグラフ（情報展開）
   トピック：なぜこれほど多くの異なる香りが存在するのか。
4 **パラグラフの種類**：ボディ・パラグラフ（問題提起）
   トピック：香りという自然の知恵は，人間による大気汚染によって失われつつある。
5 **パラグラフの種類**：結論パラグラフ
   トピック：自然界のさまざまな種を守るために，人間は繊細な生態系に対して今まで以上に配慮する必要がある。

解説

　英文全体の構成として典型的なパラグラフ構成をしており，極めて読みやすい英文である。パラグラフ構成を図にすると次のようになる。

①導入パラグラフ　**1**

↓

②ボディ・パラグラフ　**2** **3** **4**

↓

③結論パラグラフ　**5**

1　英文の書き出しとしては典型的なパラグラフで，冒頭の第 2 文にトピック・センテンスが書かれている。読者に疑問を投げかける形でトピックを提示した後，それに続けてサポート・センテンスが挿入され，最後に結論文でまとめている。

    トピック・センテンス：花はなぜ香りを持つのか。
      支持①：香りは，非常に実用的な進化上の機能を果たしている
      支持②：繁殖のために，花は花粉を運ぶ花粉媒介者が必要である
      支持③：そのお返しとして，花は花粉媒介者に栄養分を与える
      結　論：花は花粉媒介者を引き寄せるために，香りを利用してきた

2　第 1 パラグラフのトピックを受けて，続く第 2 パラグラフでは，香りに関する科学的分析の話が紹介されている。このパラグラフはトピックをさらに掘り下げ，新たな情報を付加する働きをしている。まず冒頭で，香りの科学的な分析技術が極めて発達したことにより，この分野での研究が劇的に広まったことを紹介した上で，トピック・センテンスを示し，続けてさらに細かい情報を付け加えている。

    トピック・センテンス：香りは花が放つ化学物質であり，大変複雑に組み合わ
                      されたものだということがわかってきた。
      支持①：1990 年代までに，科学者たちは 441 の植物から 700 もの化学化合
            物を抽出した
      支持②：そうした化学化合物を 10 種程度含んだ香りもあれば，ランの香り
            のように 100 もの異なる成分からなっているものも存在した

3　第 2 パラグラフの流れを受けて香りの科学的見地からの分析の話がさらに進められている。香りが化学物質の複雑な組み合わせによるものだとすると，「それでは，なぜこれほど多くの異なる香りが存在するのか」という問題提起の形で冒頭にトピックを提示し，その答えを紹介する流れでパラグラフが展開している。

トピック・センテンス：それでは，なぜこれほど多くの異なる香りが存在するのか。
　　支持①：花粉媒介者に自分と同じ種の花へ花粉を運ばせる必要がある
　　支持②：そのためには，花と花粉媒介者が特殊化する必要がある
　　結　論：花は固有の香りを放つことによって，花粉媒介者に確実に自身の種を認識させることができる

4 このパラグラフの冒頭にある Unfortunately という語に注目しよう。明らかにマイナスの意味を表す語であり，このパラグラフでは一転してトピックの方向転換がなされることが予想できるはずだ。読者の思考を改めさせる意味で，パラグラフの冒頭にトピック・センテンスが来ている。分量的にもこのパラグラフが一番長く，この文章で筆者が最も主張したい意見が展開されていると考えられる。

　　トピック・センテンス：香りという自然の知恵は，人間の大気汚染によって失われつつある。
　　支持①：研究によると，90％もの花の香りが大気汚染で失われつつある
　　支持②：それが野生のハチやチョウの数が激減している原因の可能性がある
　　支持③：かつて，香りは何マイルも離れた花粉媒介者を引き寄せた
　　支持④：今では香りが遠方に届かないため，身近な花粉を取り合っている
　　結　論：花は花粉媒介者を集められないので，繁殖数が減ってきている

5 最終パラグラフで筆者は，花の香りが失われつつある現状を踏まえて，人間はもっと生態系に対して配慮をすべきであるという警鐘を鳴らしている。文章全体のトピックを踏まえつつ，第4パラグラフの問題提起に対して自身の考えを展開しながらこの文章を締めくくっており，明らかに結論パラグラフと考えられる。

　　支持①：花の香りは人間にとっては単なる楽しみだが，ある種にとっては生存がかかっているものである
　　支持②：人間の身勝手な行動がそうした存在を脅かしていることを認識すべきだ
　　トピック・センテンス
　　　（結論文）：花と花粉媒介者の双方の生存を守っていくために，繊細な生態系に対して人間は一層の配慮を求められている。

全訳 科学者たちは変化の香りを追う

　どんな子どもでも知っているように，花はきれいなだけでなく，多くの場合良い香りを持つ。では，なぜこれほどまで多くの花が香りを持つのだろうか。科学的研究により，自然が持つさまざまな魅力と同様，私たちをおおいに楽しませてくれる芳しい花の香りにも，実は非常に実用的な進化上の機能があることがわかった。ほとんどの花は，繁殖するためにハチ，鳥，コウモリなどの花粉媒介者として知られる生き物に依存しており，花から花へ花粉を運んでもらっている。その見返りとして，花は花粉媒介者たちに必要不可欠な栄養分を提供している。したがって，花は花粉媒介者を引きつける必要があるが，長い時間をかけて，香りを利用してこれを行うようになったのだ。

　近年，花の香りを分析し特定する技術が非常に発達し，この分野における研究は目覚ましく拡大した。私たちが花の香りとして楽しんでいるものは，花が空気中に放出する化学物質であるが，研究により，花が利用する化学物質の組み合わせは，しばしば極めて複雑であることがわかった。1990年代までに，科学者たちは441種類の植物から，700種類もの異なる化学化合物を抽出した。分析した香りの中には，このような化合物が10ほどしか含まれないものもあったが，ランが放つようなほかの香りには，100以上もの異なる成分が含まれていた。

　では，なぜこれほど多くの異なる香りがあるのだろうか。この答えもまた，実用的なものである。植物にとって，花粉媒介者が花粉を無駄にせず，同種の別の花へ運ぶことは非常に重要なことだ。このため，植物と媒介者の双方が特殊化することが重要になる。媒介者が簡単に認識できる，その花固有の特別な香りを持つことで，植物は媒介者が確実に同種の花へ花粉を運ぶようにできるのだ。

　残念なことに，最近の研究は，人間が引き起こす大気汚染のために自然の知恵が取り除かれつつあることを示している。バージニア大学の研究によれば，90％もの花の香りが，車や発電所による空気汚染のために破壊される可能性があるという。さらに，研究を行っているチームは，このことが最近の別の現象，つまり野生のハチやチョウの数の激減の理由も明らかにする可能性があるとしている。香りは長い距離を旅することができるため，これまで，これらの花粉媒介者たちは何マイルも離れた所から引き寄せられていた。現在，遠い場所にある花に行き着くことができなくなった彼らは，巣の近くにある花から栄養を摂取するために競争を余儀なくされている。一方，花もまた十分な数の媒介者を引きつけることができないため，その数も減少し始めている。

　花の香りは，人間にとっては単なる楽しみの対象かもしれないが，それに生き残りがかかっている種も存在する。私たちは，自分の利己的な行動が彼らの生存に大きな犠牲を強いていることに気づかなければならない。花と花粉媒介者たちの生存を確実にするには，自然の繊細な生態系への更なる配慮が必要である。

トレーニング2

次の英文を読み，段落の順番を並べ替えて意味の通る文章にしなさい。

Food Production

1 In the case of grain and vegetables, the availability of land on which to grow them poses a problem. As a result of the recent population explosion, deserts have to be converted into farmlands that will yield crops. This is done by large-scale irrigation, as in the case of some of the desert lands of California.

2 With the development of science, agricultural methods and cattle-breeding underwent drastic changes. Instead of eating what he once found in nature, man now produces his own food, and in such large quantities that the over-supply must be exported to areas where the supply is not adequate to meet the demand. With modern transportation methods, huge amounts of food can be exported by one country to another.

3 "We eat to live, not to live to eat" is a well-known saying. Mankind has been engaged in the search for and production of food ever since the day he first appeared on this earth.

4 Later, when he learned to use tools, he could kill larger animals for food.

5 It is surmised that man's first food consisted of the plants he saw growing around him. Then he learned to catch and eat small animals, such as fish and birds.

解答と解説

解答

3 → **5** → **4** → **2** → **1**

解説

段落を並べ替える問題は，各段落の役割や段落間のつながりを理解するための格好のトレーニングとなる。次のプロセスに従って，解答を考えてみよう。

① first / later / modern / recent / now などの時間の流れを表す表現に注意する。

この問題文が時系列に沿って構成されていることを理解できたかどうかが，解答の１つのポイントとなる。この場合４にある Later「その後」という副詞と he という代名詞から，４以前の時代の he に言及した段落が存在するとわかる。そのことを念頭に５を見ると，man's first food という表現があり，そこから５→４という流れが，時系列と代名詞の指示の双方から妥当であると判断できる。

② 　導入パラグラフは読者の注意や関心を引くことが主な目的である。ここでは，文章を引用文で開始することが，読者の注意を引くための主要な手段であることを覚えておこう。ここから３は導入パラグラフではないかと推測できる。

③ 　さらに，時制にも注意しよう。１と２の後半部では，現在形が使用されており，ここから１と２は過去形が使用されている３，４，５の段落に後続すると考えられる。以上のポイントをまとめると，３→５→４→１または２という順番になることがわかる。

④ 　２は冒頭の文が，段落のトピック・センテンスとなっている。科学の発達は，農業の方法や家畜の飼育に根本的な変化をもたらし，それによって大量生産が可能になったというのが２のトピックである。１では，大量生産の問題点が指摘されており，論の流れを考えると２→１が自然である。

全訳　食糧の生産

１ 　穀物や野菜の場合，それを栽培する土地の入手が問題となる。最近の人口激増の結果，砂漠を収穫の得られる農地に転換しなければならない。これは大規模な灌漑によって行われるが，その例はカリフォルニア州のいくつかの砂漠に見られる。

２ 　科学の発達に伴い，農耕法や家畜の飼育は根本的に変化した。かつて人は自然界で見いだせるものを食べていたが，その代わりに今や自分の食糧を生産し，しかも多量に生産するので，その余剰は供給が需要を満たすのに不十分である地域に輸出されなければならない。現代の輸送手段のおかげで，莫大な量の食糧を１つの国から別の国へ輸出することができる。

３ 　「私たちは生きるために食べるのであって，食べるために生きるのではない」というのはよく知られた格言である。人類は初めて地球上に現れて以来，食糧の探求とその生産に従事してきた。

４ 　その後，道具を使うことを覚えてから，人間は食用としてより大きな動物を殺すことができるようになった。

５ 　人間の最初の食物は，周りに生えていた植物であったと推測されている。それから，魚や鳥のような小動物を捕って食べるようになった。

❸ 文章の構成パターンとそのつなぎ言葉を理解する

　ここでは，文章の構成パターンを取り上げる。文章にはさまざまな構成パターンがあり，著者がどのようなパターンを選択し組み合わせるかは，文章の形式や内容，目的と密接に関わっているので，文章の構成パターンを理解することは読解の大きな助けとなる。一般的に，文章の構成パターンを表す表現を合図語 (signal words) と呼ぶ。例えば，in the past や now といった表現は時間配列に基づく構成を示す合図語である。これらの合図語に注意しながら文章を読むことが，構成パターンをつかむためのこつである。

1 手順・列挙・例示等に基づく構成

　この構成を用いると，著者はトピックに関して順序立てて説明したり，細部を列挙しながらトピックに関する詳しい説明を展開したり，具体的な事例を挙げてトピックを理解しやすくしたりできる。この構成では順序や，複数の観点・事例を示す必要があるので，first / second / third などの合図語や，in addition / besides / moreover / likewise / similarly などのつなぎ言葉がよく用いられる。ほかにも，以下の合図語を覚えておこう。

> and / some / other / also / for example / finally / such as / like / before / after / first of all / at first / next / then / later / at last / as well

2 時間配列に基づく構成

　時間配列に基づく構成は，歴史・伝記・事件の経過報告などによく用いられ，トピックに関して時系列に沿って物事が変化・進展していく点が大きな特徴である。合図語としての時を表す語句や順序を示すつなぎの語句がそれぞれの時間区分を表す区切りとなり，比較的わかりやすい構成といえる。時間配列に基づく構成の文章を読む際は，以下のような時や順序を示す語句に注目しよう。

> first / next / soon / after / at last / finally / last / later / before / while / then / times / following / until / still / earlier / originally

> 【例】年号が明示されており，時系列に沿ってトピックが展開されていることがわかる
> 　… During a gold rush in the U.S. state of Alaska in the 1890s,

local dogs started being used for transportation. Later, in 1908, when a Russian fur trader imported some Chukchi dogs into Alaska and entered them into a 400-mile sled race, the dogs attracted attention for their incredible stamina. Demand for Chukchi dogs grew and many were exported to Alaska before the Russian Revolution. In 1925, the breed earned a lasting place in American history and culture. (2009-1)

3 空間配列に基づく構成

　この構成では，トピックに関するサポート文を「空間」の中で捉えて，一定の基準に従って文が展開する。描写される空間を立体的にイメージして，位置関係を把握しながら読み進めることが大きな特徴になる。

　例えば，経済不況の影響を都市と地方に分けて解説する文章や，デパートの各階の案内などにおいて，空間配列に基づく構成が用いられることが多い。この構成を表す合図語としては，以下の語句が挙げられる。

> above / behind / by / beside / inside / across / below / down / near / nearby / against / beneath / in back of / in front of / on top of / within / beyond / over / next to / opposite / in the center

> 【例】ある建物の避難経路の様子が，館内の位置関係を基に説明されている
> … The sales department should exit the building via the south stairwell. As engineering is on the first floor, they will simply walk out the front door to the street. Accounting should use the same exit as engineering. The human resources department will evacuate using the west door, at the back of the building. Finally, the R&D staff should go down the north stairwell and exit via the north door. (2007-3 リスニング)

　また，There is / are 〜などの「存在文」も，空間の中での存在を示す意味においては，この空間配列に基づく構成の合図語と考えられる。

4 原因・結果に基づく構成

　この構成では，まず原因となる事実を挙げて，それから何が起きたかを順を追って説明する流れが通常で，それ故に時間的順序に従うことが多い。しかし，文章によっては，結果 → 原因の順番で書かれていることもあるので注意したい。
　この構成パターンで頻繁に用いられる合図語には，次のようなものがある。

> so / because / since / result in / lead to / that is why / therefore / influence / have an effect on / as a result / be the effect of / due to / owing to / for / thus / after all

> 【例】原因を提示した後，as a result という合図語を挟んで結果が述べられている
> … The changes to the ecosystem, turning it from grassland to today's desert, were very dramatic. As a result, Australia's large animals would not have had time to adapt and find new food sources.
> (2008-1)

5 問題・解決に基づく構成

　この構成パターンでは，問題の説明が先行し，解決策の提示が続く。問題記述の部分では問題が存在することを指摘するだけでなく，その重要性や緊急性を強調したり，問題を読者に関連付けて説明したりすることが多い。問題指摘に続く後半部では，解決策が提示されるだけでなく，その効果や実行可能性が論証されることが多い。この構成を表す合図語としては，以下の語句が挙げられる。

> answer / propose / suggest / solve / resolve / challenge / plan / problem / need / issue / address / indicate

6 比較・対照に基づく構成

　あるトピックに関して2つ以上のものを取り上げて，それらの相違点や類似点に着目しながら文章を展開していく構成パターンである。例えば，日米の選挙制度を比較する場合や，男女間や世代間での物事の捉え方の差異を論じたりする文章において，この構成が用いられる。この構成では，以下のような対比や類似に関する語句に注意して読んでいくとよい。

> on the other hand / on the contrary / but / in contrast / however / while / whereas / as well as / yet / by comparison / unlike / compared with / some 〜, and others 〜 / similarly / in the same way

> 【例】企業の研修をトピックとして，規模の異なる会社を比較している
> 　Large corporations tend to focus on large-scale formal training, such as organized seminars and presentations. On the other hand, most small businesses, although they are also committed to training, lack the resources to implement these formal training approaches.
> (2007-3)

7 事実・意見に基づく構成

　事実・意見に基づく構成は，批評や評論で一般的に用いられる。この構成パターンでは，最初にトピックに関する事実をまとめ，次に著者の見解や評価を述べていく。この構成に基づく文章を読む際は，事実と意見をしっかりと区別することが重要である。また，複数の意見や見解が提示されることもあり，その場合は著者の意見と第三者の意見，そして裏付けのある意見と根拠のない意見をそれぞれ区別するように心がけよう。この構成の代表的な合図語は，以下のとおりである。

> in one's view / in light of / according to / one's opinion [point] is / argue / claim / contend / in fact / actually / as a matter of fact / the bottom line / in practice / in general / on the whole

> 【例】専門家による指摘を受けて，著者が自身の見解を述べている
> … "If you wait until you start seeing negative consequences, then the environment is pretty far gone already, and cleaning it up can be very, very difficult." Governments, aerospace firms, and satellite operators would do well to prevent the unnecessary creation of new orbital debris.
> (2008-3)

　以上7つの基本的な構成パターンを紹介してきたが，たいていの文章では複数のパターンが用いられることに注意しよう。例えば，文章全体は時間配列に基づく構成で書かれていても，文中では，比較・対照や原因・結果パターンによって構成されているパラグラフもある。文章構成を柔軟に読み取っていくことが肝要である。

トレーニング

次の英文を読み，以下の質問に対して最も適切なものを **1〜4** の中から1つずつ選びなさい。

Urban Solutions

1 By the year 2015, experts believe that there will be 21 cities around the globe with a population of 10 million or more, with no prediction of a slowdown even then. The majority of these cities, often called megacities, will be found in the developing nations of Asia and Africa. This urban explosion presents government officials with the challenge of balancing expansion with protecting the quality of life of the cities' inhabitants.

2 Some experts hail the ongoing growth of large cities as an indicator of progress. "Cities are the fundamental building blocks of prosperity," says Marc Weiss, chairman of the Prague Institute for Global Urban Development. "There's the crazy notion that the way to deal with a city's problems is to keep people out of them. But the problems of rural life are even more serious than those of the city."

3 Nevertheless, the countries where these megacities are growing fastest are those where city-planning departments are ill-equipped to provide adequate housing, traffic control, and crime prevention. One huge city facing such challenges is São Paulo, Brazil, where people from rural areas continue to pour into the city. The traffic is so congested that the rich fly private helicopters rather than negotiate their way through paralyzed roadways. Most jobs lie in the heart of the city, but because the poor cannot afford to rent homes there, they are forced to seek cheaper housing far away on the fringes of the city. This not only creates gridlock on city streets, but also results in a deeply segregated society. Ironically, rich and poor share one thing in common: a fear of violent crime. In 2001, São Paulo police reported a mind-boggling 12,000 homicides.

4 With the world's large cities facing such overwhelming challenges, Hyderabad in India is bucking the trend. Although not yet a megacity, Hyderabad's population stands at more than 6.5 million — 10 times more than the government projected a few decades ago. Even though it struggles with many of the same predicaments as São Paulo, government administrators have adopted some creative solutions. "What we need in

India is not money," states P. K. Mohanty, a government official. "We need reforms. Large cities of the Third World are reservoirs of wealth. The problem is one of poor management."

5 Mohanty explains that the first step in transforming Hyderabad was to clean it up. "We gave 65 percent of the city services to private contracts, and now we've won the Indian Clean City Award for the fourth year in a row." Then, with a donation from the Netherlands, the city launched a "greening" project, converting its less attractive areas into extensive public parks and gardens. Finally, the city started an innovative tax-collection system. "Thirty years back," Mohanty explains, "there was a lot of evasion due to collusion between tax officials and the public. If you eliminate people-based transactions, a lot of corruption will be eliminated. So we computerized the tax records."

(1) According to the passage, it can be seen that
  1 the growth in the number of megacities in developing nations will soon level off.
  2 government officials in most megacities have already met the challenge of expansion.
  3 the growth of megacities usually has little effect on residents' quality of life.
  4 over half of all megacities will be in less economically advanced nations.

(2) Which of the following statements would Marc Weiss agree with?
  1 Megacities should be seen as a sign of a nation's economic development.
  2 Building development should focus on rural areas rather than urban areas.
  3 Megacity governments need to limit the number of people moving into them.
  4 Cities in prosperous nations should provide support for cities in developing nations.

(3) What kind of example does São Paulo serve in the context of the passage?

1 It serves as a warning of what the combination of uncontrolled growth and a lack of city planning can result in.
2 It indicates that, despite the present problems like congestion and segregation, there are still plenty of opportunities for everyone to prosper.
3 It provides proof that, despite government initiatives, there will always be a high price to pay for residents of any large city.
4 It shows that all large cities need to prepare for population growth by building huge public-housing units to house the incoming poor.

(4) The city of Hyderabad has managed to deal with a large increase in population because
1 the government accurately predicted the city's growth and took immediate steps to plan and build the appropriate infrastructure.
2 it has always been a well-planned city that shared few of the same dilemmas as other large cities around the world.
3 city government officials were clearly more successful in gaining aid from the national government.
4 city officials took the initiative to come up with some resourceful ideas to cope with the city's rapid growth.

(5) What was one step Hyderabad administrators took as part of their city-management plan?
1 Improving and extending the city's green areas with the help of Dutch technology.
2 Encouraging more active discussion between private companies and city officials.
3 Giving the general public access to records about the use of public funds.
4 Implementing a more effective way of collecting taxes from the public.

(2003-3)

解答と解説

解答

(1) **4**　(2) **1**　(3) **1**　(4) **4**　(5) **4**

解説

　まず，文章の構成パターンを分析してみよう。第1パラグラフでは，空間配列に基づく構成が使われている。21 cities や Asia and Africa という語句がヒントになるはずである。第2・第3パラグラフでは，巨大都市（megacities）の利点と問題点がそれぞれ簡潔に記述されており，比較・対照に基づく構成だとわかる。第3パラグラフの後半から第5パラグラフにかけては，問題・解決に基づく構成が用いられている。ブラジルのサンパウロが直面する課題について述べられた後，同様の問題を抱えるインドのハイデラバード市の取り組みを紹介しているからである。同時に，第5パラグラフでは，市の対策が first / then / finally と分類されており，手順・列挙・例示等に基づく構成パターンも使用されている。このように同じパラグラフ内で，複数の構成パターンが使われることもあるので，注意が必要である。

(1)

　第1パラグラフの The majority of... で始まる文が解答の根拠となる。**4** の over half が majority の，less economically advanced nations が developing nations の言い換え表現であることが読み取れれば，比較的平易な問題であろう。ほかの選択肢は，文中で反対の事実・見解が述べられているので，時間に余裕があれば，各選択肢の誤りの根拠も探すようにしよう。

(2)

　設問にある Marc Weiss「マルク・ワイス」という個人名を文中から探し出し，その前後を精読することが解答のポイント。彼のせりふが **1** の内容を表している。文章の構成から，第2パラグラフは巨大都市のメリットの記述を主目的としており，Marc Weiss は巨大都市のメリットを裏付ける専門家として引用されていることも読み取りたい。

(3)

　(2) と同様，São Paulo「サンパウロ」という都市名を文中に見つけることが，解答の第一歩となる。第3パラグラフでは前段落とは逆に，巨大都市の弊害が説明されている。特に，冒頭のトピック・センテンスで「巨大都市を抱える国とは，都市計画担当部局が整備不十分なため，適切な住宅供給や交通統制，犯罪防止対策が実施できない国である」と指摘した後，2文目の「このような難問に直面している巨大都市の1つがサンパウロである」と続くことから，**1** が正解であると判断できる。

(4)
　第4・第5パラグラフでは問題・解決に基づく構成が使われていることから，正解の根拠はハイデラバードの取り組みを紹介している第4パラグラフの後半以降にあると予想できる。とりわけ，第4パラグラフの government administrators have adopted some creative solutions という個所が解答のヒントとなるだろう。**4**の resourceful ideas が文中の creative solutions の言い換え表現であることが読み取れるかが，解答の1つのポイントである。よって，正解は**4**。

(5)
　ハイデラバードの具体的な対策は，最終段落で説明されている。ここでは first / then / finally の手順・列挙・例示等に基づく構成を示す合図語から3つの施策が概説されていることがわかる。具体的には，① 民間企業への委託による都市の美化，② オランダからの寄付金による緑化政策，③ 脱税を防止するためのコンピューター徴税システム導入の3つの施策が言及されている。この内容に合致する選択肢は**4**だけである。

全訳　都市問題の解決

　2015年までに1千万かそれ以上の人口を持ち，しかもその時点でなおその人口増加のペースが衰えないと予想される都市は，世界中で21を数えると専門家たちは信じている。メガシティという名でしばしば呼ばれるこのような都市は，その大部分がアジアとアフリカの発展途上国に見出されることになるだろう。都市のこのような爆発的膨張によって，都市の拡大と都市生活者の生活の質を守ることの間にバランスをとるという難問が，行政官に課せられている。

　一部の専門家は，現在進行中の巨大都市の成長は，進歩の指標であるとして熱烈に歓迎している。「都市とは繁栄を構築する基本的な要素です」と，国際都市開発プラハ協会の会長，マルク・ワイスは語っている。「人々を都市に流入させないことが，都市問題をうまく処理する方法であるという，ばかげた考え方があります。しかし，田舎の生活の問題の方が，都市の抱える問題よりもはるかに深刻なのです」。

　このような意見にもかかわらず，最も急成長を遂げつつあるこれらのメガシティを抱える国とは，その都市計画担当当局が整備不十分なため，適切な住宅供給や交通統制，犯罪防止対策が打てない国なのである。ブラジルのサンパウロは，このような難問に直面している巨大都市の1つである。そこでは，農村部から出てきた人々が都市に流入し続けている。あまりにも交通渋滞がひどいため，裕福な人々は麻痺した道路をうまくすり抜けて走ろうとするよりはむしろ，個人用のヘリコプターを飛ばすほどである。ほとんどの仕事が都市の中心部にあるが，貧しい人々はそこに住居を借りる経済的余裕がないため，遠く離れた都市の周辺

部にもっと安い住居を探さざるを得ない。このことが都市の路上に大渋滞を引き起こすだけでなく，結果として根深い被差別者層を作り出してしまうことになる。皮肉なことに，裕福な人と貧しい人がともに分かち合っていることが 1 つある。それは暴力犯罪への恐怖である。サンパウロ警察は 2001 年に 12,000 件という信じられないほど多くの殺人事件があったと報告している。

　世界の巨大都市がこのような圧倒的な課題に直面しているなか，インドのハイデラバードがこの趨勢に頑強に抵抗している。いまだメガシティになってはいないものの，ハイデラバードの人口は 650 万以上に達している。それは数十年前に政府が推定していた人口の 10 倍である。ここはサンパウロと同じ多くの苦しみと闘っているが，行政官たちはいくつかの創造的な解決策を採用したのである。「インドに必要なのは，お金ではありません」と，官僚の P. K. モハンティーは述べている。「私たちに必要なのは改革です。第三世界の巨大都市は富の貯蔵庫なのです。問題はお粗末な運営でしょう」。

　ハイデラバードを一変させる最初のステップは，街をきれいにすることだったとモハンティーは説明している。「私たちは市の業務の 65 ％を民間との契約に移行しました。そして今や私たちは 4 年連続で，インド・クリーン・シティ賞を受賞するまでになったのです」。その後，この都市はオランダからの寄付によって「緑化」計画に着手し，比較的魅力に乏しい地域を大規模な公園や庭園に転換した。最後に，市は革新的な徴税システムを開始した。「30 年前には」とモハンティーは説明する。「税務署員と一般市民との癒着のために，多くの脱税が行われていました。対人業務を廃止できれば，多くの汚職を取り除くことができます。だから私たちは，税の記録をコンピューター化したのです」。

(1) この文章により，次のことが理解できる。
1 発展途上国におけるメガシティの増加は，すぐに横ばいになるだろう。
2 ほとんどのメガシティの行政官は，膨張に伴う困難をすでに経験している。
3 メガシティの成長は，たいてい住民の生活の質にほとんど影響を及ぼさない。
4 全メガシティのうちの半数以上が経済的に発展の遅れた国に位置するだろう。

(2) 次の文のうちマルク・ワイスが賛同するものはどれか。
1 メガシティは一国の経済成長のしるしと見なされるべきである。
2 ビル開発は都市部よりはむしろ，農村部に集中すべきである。
3 メガシティの行政当局は転入者の数を制限する必要がある。
4 裕福な国々の都市は発展途上国の都市を援助すべきである。

(3) この文章の文脈の中で，サンパウロはどのような具体例としての役割を果たしているか。
1 それは，制御不能のまま成長を続ける都市に，都市計画というものが欠如している場合にどんな結果がもたらされるか，警鐘を鳴らす役割を果たしている。
2 それは，交通渋滞や差別といった現存する諸問題にもかかわらず，誰もが裕福になれる機会がなお多く存在することを示唆している。
3 それは，行政当局の率先した指導にもかかわらず，大都市の住民が支払わなければならない高い代償の問題が，この先も常に存在することを証明している。
4 それは，流入してくる貧しい人々を住まわせるための巨大な公営集合住宅を建設することにより，すべての大都市が人口の増加に備える必要があることを示している。

(4) ハイデラバードは人口の大幅な増加に何とかうまく対処することができた。なぜなら，
1 行政当局がその都市の成長を正確に予測し，適切なインフラ整備計画を練り，それを建設するための迅速な手段を講じたからである。
2 それは，以前から世界中のほかの大都市が抱えているのと同じジレンマをほとんど持たない，見事に計画された都市だったからである。
3 都市の行政官が，政府からの援助を取りつけることにおいて，ほかの都市よりも明らかに大きな成功を収めたからである。
4 市の役人が率先して，この都市の急成長にうまく対処するため，機略に富んだいくつかの提案をしたからである。

(5) ハイデラバードの行政官が，自らの都市運営計画の一環として実施した対策とは何か。
1 オランダの科学技術の助けを借りて，都市の緑地を改善して拡大すること。
2 民間企業と市の役人との間により活発な議論を奨励すること。
3 一般の人々に公的資金運用記録の閲覧を許可すること。
4 一般市民から税を徴収する，より効果的な方法を実施すること。

④ 未知語の意味を文脈から推測する方法を理解する

　文章を読んでいて，知らない単語や表現に突き当たることは頻繁に経験することである。特に，準1級レベルの高度な内容の英文を読む際にはそれが顕著である。試験のように限られた時間の中でまとまった量の文章を読みこなすためには，文脈を手がかりにして知らない単語の意味を推測する能力が欠かせないことは言うまでもない。文脈から知らない単語の意味を推測するためのこつとしては，次の3点が挙げられるだろう。

　①未知語の前後表現に注目すること
　②つなぎ言葉やコンマ・コロン等の句読法に注目すること
　③類義語や反意語に注目すること

　一般的に，著者は文章をわかりやすくするため，難解な語や専門用語を定義したり，具体例を用いたりして，補足説明をするものである。また，同じポイントを繰り返す場合は，文章が冗長になることを避けるために，違った表現に置き換えて説明することが多い。さらに，前章で文章の構成パターンを把握する手がかりとなる典型的な合図語を概観したが，そのトピックの展開の仕方も未知語の意味を推測するヒントになる。

　このように，未知語の推測には文章全体を通して，様々な視点から角度を変えて見ることが求められるが，一般的には未知語の前後に手がかりがあることが多いと考えられる。ここでは，未知語の前後表現に注目して，未知語の意味を推測する3つのパターンを具体的に見ていこう。

1 言い換えや要約がある場合

　まずは，未知語の前後に言い換えや異なる表現，または要約がないか探ってみる。in other words, that is to say といった表現や in short, to sum up などの言い回しが，この観点における手がかりとなる。また，意外と見落としがちであるが，同格のコンマも言い換えの際の大切なシグナルである。

> 【例①】 drawback「欠点・難点」
> 　Do you live in a polluted metropolis? Do you go to bed and wake up to the sound of heavy traffic? Do you have to ride on crowded trains on the way to work? In short, have you had enough of the drawbacks of urban life?　　　　　(2008-1)

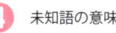

in short「要するに」というつなぎ言葉でまとめられていることに注目する。drawbacks の意味は，その前に挙げられているいくつかの具体例から，「マイナスの意味を持つ語」と推測することができる。

2 内容の説明がある場合

続いて，未知語の前後に内容を説明している個所がないか探ってみよう。例えば，関係詞による後置修飾的な補足説明や，コロン等の句読法により後方で説明が加えられていることがある。あるいは，mean や be defined 等の語句を用いて説明がなされていることも考えられる。

> 【例②】 carbon offset「排出した CO_2 を植林等のほかの形で相殺しようとする考え方や活動」
>
> In an effort to reverse the damage that modern life is causing to the environment, many companies have begun offering so-called carbon offsets in addition to their regular business activities. As a way to increase profits and help consumers feel less guilty about their purchases, some of these companies offer to offset pollution and reduce global warming by planting trees on behalf of customers. The idea is that the trees will absorb the same amount of carbon dioxide (CO_2) that the companies' regular services generate.　　　　　　　　　　　　　　　　　　　(2008-2)

carbon offsets の考え方が後方で説明されている。企業の取り組みとして，「二酸化炭素を吸収する樹木を植林することで，二酸化炭素排出の責任を回避しようとする行為」という内容が読み取れるだろう。

> 【例③】 prodigy「神童，天才児」
>
> In 1985, Ruth Lawrence graduated from Oxford University at the tender age of 13. She was a celebrated child prodigy — someone who, at an early age, shows extraordinary ability in one or more skills.　　　　　　　　　　　　　　　　　　　(2008-2)

ダッシュ以下でずばり「幼少時に1つ以上のスキルで並外れた能力を示す者」と，prodigy が言い換えられている。

3 例示・対比・類似などがある場合

　最後に，未知語の前後に具体例で説明されている個所や逆に対比による反対の意味の語句がないか，あるいは同じような意味の語句がないか探ってみよう。前項で概観した合図語を手がかりに，該当の箇所を探してみるとよい。

> 【例④】devastating「壊滅的な，破壊的な」
> … This leads to a greater danger of collisions with satellites or spacecraft in orbit, where even an object smaller than a tennis ball can have devastating consequences. It could be like "exploding several sticks of dynamite in your spacecraft," says Southampton's Dr. Hugh Lewis.　　　　　　　　　　　　　　　　　(2008-3)

　例示の例。まるで「宇宙船の中で何本かのダイナマイトを爆発させる」様な衝撃になることさえあるという例えが続くことから，その衝突が「どれほど凄まじいものか」が推測できるだろう。

> 【例⑤】pasture「牧草地，放牧場」
> … While it is true that trees absorb CO_2, forests tend to be darker than surrounding areas such as pastures and grasslands, so they hold more heat from the sun.　　　　　　　　　　　　　　　(2008-2)

　類似の例。森林周辺に位置し，「うっそうとして暗く熱をこもらせる森林」とは異なる場所として，grassland「草原」と並べて例示されていることから，「広大な開けた土地」のようなイメージが推測できるだろう。

　具体例を挙げながら説明してきたが，共通するポイントは「未知語の前後表現に注目する」ということである。文章全体のトピックをしっかり把握して，構成パターンを踏まえて文脈を理解していれば，前後関係からおおよその意味は推測することができるはずだ。

トレーニング 1

次の英文の文脈を手がかりに，下線部 **(1)** 〜 **(10)** の単語の意味を推測し，最も近い意味を持つものを 1 〜 10 の中から 1 つずつ選びなさい。

Cracking the Mayan Code

Over time, humankind has created many different **(1)** scripts. One of the most beautiful and most **(2)** baffling of these forms of writing is that left by the Mayan peoples of Central America. This consists of symbols, usually known as glyphs, which are combined together in squares. For hundreds of years, Mayan priests recorded these glyphs in a variety of media — carved on stone, written in books made of the bark of trees, or painted on walls. Then the Spanish arrived, determined to **(3)** convert the Maya to Christianity and to make them speak and write Spanish. By the end of the 16th century, the traditional glyphs had fallen into disuse and ever since scholars have struggled to **(4)** decipher them.

Ironically, the man who left one of the most important clues as to how to read this writing was also one of those most responsible for its destruction: Diego de Landa. A Spanish priest, Landa was sent to Yucatan in Mexico in 1549. While he was there, he became convinced that the Maya were secretly practicing magic, and he embarked on a policy of destroying the beautiful **(5)** codices that had been created by the Mayans. Indeed, today, only four of these books survive. Those who defend Landa point to the **(6)** cruelty of traditional Mayan religion, which often involved human sacrifice. Yet today, most would agree that he, and other Spanish like him, were just as cruel, and that the destruction of the codices was an act of terrible **(7)** vandalism.

After he returned to Spain, however, Landa wrote a detailed description of traditional Mayan life. He also provided an 'alphabet' of Mayan writing. Landa believed that Mayan writing was similar to European. While in Yucatan, he had asked two Mayans to tell him the Mayan **(8)** equivalents for the letters of the European alphabet, and he recorded their answers in his work. After a copy of Landa's manuscript was discovered and published in 1868, however, most scholars **(9)** dismissed this alphabet as confused and misleading. In particular, the greatest expert in Mayan writing, the British scholar Eric Thompson, insisted in the 1930s that the glyphs were not phonetic but ideographic — like Chinese characters, they represented words or ideas rather than sounds.

It was not until the 1950s that the true significance of Landa's alphabet was realized. A Russian linguist, Yuri Knorosov, working alone in the Soviet Union, hit upon the truth: the symbols provided in Landa's alphabet did not represent letters but **(10)** <u>syllables</u>. In fact, research showed that both Landa and Thompson had been right in their different ways. Many of the Mayan glyphs do represent words, but they can also be used to represent syllables. Rather like the way Japanese people adapted Chinese characters to write Japanese, using them sometimes for their meaning and sometimes for their sounds, Mayan glyphs consist of a mixture of elements. Although today there are still some glyphs which have not been decoded, now over 90 percent of them can be translated.

---

1 atrocity **2** barbarism **3** change
4 understand **5** disregarded **6** incomprehensible
7 letters **8** manuscript books **9** parallels
10 sounds

解答と解説

解答
(1) 7　(2) 6　(3) 3　(4) 4　(5) 8
(6) 1　(7) 2　(8) 9　(9) 5　(10) 10

解説
(1)
　まずはこの scripts が含まれる前後の表現を，文全体の視点から見てみよう。many different scripts の後に，One of the most...forms of writing is that left by... という表現が続いている。「one of ＋ 複数」の表現は「複数の中から１つを選び出す」ものであるから，前後の複数名詞のつながりを踏まえると，"scripts" = "forms of writing" ではないかという推測ができる。また, these という代名詞もヒントになる。

(2)

　most baffling の表現から，この語は形容詞と考えられ，その意味で選択肢は **5** か **6** に限られることになる。マヤ人の文字・書体について述べていることは明らかだが，続く次の文で This consists of symbols, ..., which are combined together in squares. と書かれており，「四角形の中に記号を組み合わせたようなもの」という内容から察して，通常の文字とは異なり「何となく複雑で難解なもの」という意味が読み取れるとよい。

(3)

　直前に to があり，数語後に and to make... と続いていることから，この convert は動詞だとわかる。さらに「マヤ人をキリスト教に convert し，彼らにスペイン語の読み書きを強制した」という文意から，「変える，改宗させる」という意味が推測できるだろう。

(4)

　マヤ人に対して，スペイン人によるスペイン語の強制が行われたという直前の内容から考えると，「マヤ人の文字は廃れていく」という話の展開が予想できる。案の定 fall into disuse「使用されなくなる」という表現に続いて，「そのときから，それら（の伝統的な文字）を decipher する学者たちの格闘が始まった」とあり，さらに第 1 パラグラフのトピックを展開させる次のパラグラフの冒頭の一文に，how to read this writing という表現が見えてくる。こうした表現をつなぎ合わせていくと，「読み解く，解読する」というイメージが浮かんでくるだろう。

(5)

　destroying the beautiful codices の表現に続く次の文で，only four of these books survive とあることから，destroy ↔ survive の意味関係とも相まって，codices は books に関するものであることは明らかである。

(6)

　文脈からマヤ人の伝統的宗教の様子を表す語だと考えられるが，直後に補足説明を加える関係節があり，often involved human sacrifice の表現に注目すればある程度意味内容が見えてくるだろう。選択肢の語彙が難しい部分もあるが，cruelty が名詞であるという観点と，ほかの選択肢の吟味による消去法で正解にはたどり着けるはずだ。

(7)

　ここでは，前文にあるマヤ人の残忍さとの対比で，スペイン人も同様に残酷であるという論の展開になっている。その根拠として「貴重なマヤ文字の写本を破壊しつくした」事実を挙げており，直前の terrible という語の意味を考え合わせると，その行為がいかに野蛮なものであったかは，容易に推測できよう。正解肢の barbarism は，barbaric「野蛮な」の派生語であることから意味を推測したい。

(8)
　ランダが「マヤのアルファベットを提供した」という内容を踏まえて equivalents の後の個所をよく読んでいく。equivalents for the letters of the European alphabet = their answers = this alphabet という表現の連鎖が見て取れるが，文字に関する内容を述べていることは明らかである。2つの言語の文字の対比関係から「同様なもの，匹敵するもの」といった意味が推測できるだろう。

(9)
　however という逆接の接続詞，および confused and misleading の意味から，this alphabet，すなわちマヤ人が使用したと思われるアルファベットには「悪い，良くない印象」が持たれていたことが読み取れる。さらに，次の段落の冒頭で1950年代になってようやく意義が認められたとあることから，この dismissed は「意義を認めない」といった否定的な意味であることがわかる。

(10)
　syllables の後に In fact, research showed と続いており，ここの個所でさらに別の表現で言い換えられていることが予想できる。日本語の漢字が表記上，ときに「意味」を表したり，ときに「音」を表したりと複雑な使われ方をする事例を挙げながら，同様にマヤ文字も「語」を表すと同時に syllables を表すこともあるという論の展開になっている。2つの言語の対比という観点から並べてみると，syllables は何かしら「音」に関する意味合いを持つことが推測できるだろう。

全訳　マヤの暗号を解読する

　長い時間をかけて，人間は多種多様な文字を生み出してきた。この記述形式の中でも最も美しく，最も謎の多いものの1つは，中央アメリカのマヤ族が残したものである。これは，一般に象形文字として知られる記号から成り，これらの記号が四角形の中に組み合わされている。何百年にもわたり，マヤ族の司祭は，石に刻んだり，木の皮でできた本に書いたり，壁に描いたりと，さまざまな媒体に象形文字を記録した。その後，スペイン人が到来したが，彼らはマヤ族をキリスト教に改宗させ，彼らがスペイン語を話し，書くようにしようと決意していた。16世紀の終わりには，伝統的な象形文字は使われなくなり，それ以来，学者たちはそれを解読しようと苦心してきた。

　皮肉なことに，この文字を解読するための最も重要な鍵の1つを残した人物は，その壊滅に最も関わった者の1人でもあった。ディエゴ・デ・ランダである。スペイン人の司祭であったランダは，1549年，メキシコのユカタンに派遣された。滞在中，彼はマヤ族がひそかに魔術を行っていると確信し，マヤ族が作り上げた美しい写本を破壊するという政策に乗り出した。事実，今日これらの写本で現存するのは4点のみである。ランダを弁護する人々は，しばしば人間の生贄を伴っ

た伝統的なマヤの宗教の残酷性を指摘する。しかし今日では，ランダや，彼と同じようなほかのスペイン人たちも同じくらい残酷であったし，写本の破壊はひどい野蛮行為であったということに同意する人がほとんどである。

　しかし，ランダはスペインに戻った後，マヤ族の伝統的な生活について詳細な記録を作成した。また，彼はマヤ文字の「アルファベット」をもたらした。ランダは，マヤ文字はヨーロッパの文字と似たものだと考えていた。ユカタン滞在中，彼は2人のマヤ人に，ヨーロッパのアルファベットに対応するマヤ文字を教えるよう依頼し，彼らの答えを記録に残した。しかし，ランダの手稿が発見され1868年に出版されると，学者たちのほとんどは，このアルファベットを支離滅裂で誤解を招くものとして退けた。特に，マヤ文字の最高権威であるイギリス人学者，エリック・トンプソンは，1930年代に，この象形文字は音声記号ではなく表意記号である，つまり，漢字のように音ではなく単語や考えを表したものである，と主張した。

　1950年代になって初めて，ランダのアルファベットの本当の重要性が認識された。ロシア人言語学者のユーリ・クノロゾフは，ソビエト連邦で単独で研究を行っていたときに真実を突き止めた。ランダのアルファベットに記された記号は，文字ではなく音節を表すものだったのだ。実際は，研究によると，ランダとトンプソンはそれぞれ異なる点で正しかった。マヤの象形文字の多くは確かに単語を表すが，音節を表すためにも使われたのだ。日本人が日本語を書くために漢字を適用し，時にはその意味を，またある時はその音を表すために使ったように，マヤの象形文字は異なる要素が混ざり合って構成されているのである。今日，いまだに解読されていない象形文字も残っているが，現在では90％以上を翻訳することができる。

トレーニング 2

次の英文の文脈を手がかりに，下線部 **(1)** 〜 **(8)** の単語の意味を推測し，最も近い意味を持つものを以下の **1** 〜 **12** の中から 1 つずつ選びなさい。ただし，選択肢の中には余分な語句も含まれている。

Plants as Powerful Water Pumps

One of the **(1)** riddles of science is how large trees create enough pressure to lift hundreds of gallons of water from their roots to the tips of their leaves. Scientists know that water moves through a circulatory system of vessels, called **(2)** xylem, that run the length of the tree. But how that water is moved still has scientists puzzled.

A few facts are known, however. First, plants require more water to survive than animals because a **(3)** staggering 90 percent of plant water **(4)** evaporates into the air from **(5)** pores in the leaves. There are only two ways to move that much water: it can either be pulled from above or pushed from below. Scientists have long favored the pull theory, which rests on water's chemical structure. Each water **(6)** molecule has a positively charged and negatively charged pole, so water molecules attract each other, each pole bonding to the oppositely charged pole of another molecule. According to the pull theory, these bonds are strong enough for water molecules evaporating from the leaves to actually tug on the water molecules that are in the leaves — a tug that extends all the way down to the roots. The heat of the sun, as the cause of evaporation, sets the process in motion.

Not all scientists accept the pull theory. **(7)** Botanist Martin Canny of Australian National University believes the water is pushed upwards. The roots of plants and trees build up pressure when the underground section of xylem gets water from the soil. This causes enough pressure, Canny believes, to overcome the downward force of gravity and any slowing caused by friction. "That is the so-called 'pressure step' that the root pump must overcome to put water in the bottom of the pipes," Canny explains. "Once it is there, no further lifting is needed." Critics of the push theory argue that root pressures powerful enough to do this have never been observed in trees. Indeed, many types of trees seem to have no root pressure at all.

4 未知語の意味を文脈から推測する方法を理解する

Whatever the source of pressure, recent research indicates that tree size is limited by the power required to carry water to the treetop. Resistance caused by friction increases as the length of the xylem increases, causing a reduction in water pressure in higher tree elevations. **(8)** Cavitation, or the formation of air bubbles in vessels, happens more frequently as pressure decreases, and since cavitation breaks water-molecule bonds, it has a disastrous effect on water transportation through the xylem.

(2004-1)

1 tiny holes	**2** disappointing	**3** ridicule
4 puzzles	**5** the formation of air bubbles	
6 sociologist	**7** turns into vapor	
8 tiny substance	**9** vessel	**10** resistance
11 astonishing	**12** a type of scientist	

解答と解説

解答

(1) 4   **(2)** 9   **(3)** 11   **(4)** 7   **(5)** 1
(6) 8   **(7)** 12   **(8)** 5

解説

(1)
　第1段落最終文のつなぎの言葉 But に注目。But 以下の記述が，下線部のある1文目と似ているので，ここに riddle の意味の手がかりがあると考えられる。scientists puzzled と riddles of science という表現も類似しているので，riddle と puzzle は類義語ではないかと推測できる。

(2)
　語句を挿入する場合には，コンマ (,) が使われることを知っていれば，容易な問題である。called という語も大きなヒントになるはず。

(3)
　まず，不定冠詞と名詞句の間にあることから staggering は形容詞であることがわかり，そこから選択肢を disappointing と astonishing に絞ることができる。植物に含まれる水の90％が空気中に「蒸発 (evaporate)」するという事実は「驚く

に値する」。

(4)

water evaporates into the air という記述から「水」が「空気中に」evaporate するのだとわかる。さらに evaporate の名詞形である evaporation にも注目しよう。第2段落の最後で「太陽熱 (The heat of the sun)」が evaporation の「原因 (cause)」との記述がある。太陽熱が原因で，水が空気中に evaporate すると言えば「蒸発」以外に考えにくい。

(5)

pores in the leaves という表現から，pores は葉の一部であることがわかる。さらに，pores より水が蒸発することから，pores は穴や管のようなものではないかと考えられる。

(6)

Each water molecule の直前の water's chemical structure「水の化学構造」という表現がヒントになる。ここから molecule は化学用語であり，水の要素を指す場合に使用される語だと考えられる。化学の知識があれば「プラス極 (positively charged pole)」と「マイナス極 (negatively charged pole)」といった表現から molecule は「電子」または「分子」のことではないかと推測できるかもしれない。そうでなくとも，molecules は葉から蒸発するとあるので，微細な物質であると考えられる。

(7)

第3段落の文章の構成を考えてみよう。2文目は1文目の例証をしていることから，botanist は scientist の一種だと判断できる。

(8)

or に同格用法があることを覚えておこう。そうすれば，or 以下の句が cavitation の言い換え表現であることがわかるはずだ。

全訳　強力な送水ポンプとしての植物

　科学の謎の1つは，巨木がその根から葉の先端まで何百ガロンもの水を押し上げるのに十分な圧力を，いかにして生み出すのかというものである。水が木の高さと同じ長さの木部と呼ばれる管状の循環システムを通って移動していくことは，科学者たちにもわかっている。しかし，どのようにして水が動かされているのかは，いまだに科学者たちを悩ませているのである。

　とはいえ，いくつかの事実は知られている。第1に，植物は動物に比べて生きていくためにより多くの水を必要とする。なぜなら，植物の水分のなんと90％が葉の気孔から大気中へと蒸発してしまうからである。このような大量の水を動かすには2つの方法しかない。つまり，上から引き上げるか，あるいは下か

ら押し上げるかである。科学者たちは長い間，引き上げ説を推してきたが，それは水の化学構造に基づいているからである。1つ1つの水の分子はプラス極とマイナス極を有しており，そのために水の分子は，1つの分子の一方の極がほかの分子の反対の極と結びつくことで互いに引き合っている。引き上げ説によると，これらの結びつきはとても強いので，葉から蒸発する水の分子が実際に葉の内部の水の分子を強く引っ張ることになり，その引き寄せる力がはるか下の根まで届く。蒸発の原因となる太陽の熱が，その過程全体を動かすのである。

　すべての科学者が引き上げ説を認めているわけではない。オーストラリア国立大学の植物学者マーティン・キャニーは，水は上に向かって押し上げられていると考える。植物や樹木の根は，木部の地下部分が土から水分を得ると圧力を生み出す。この圧力は下方に向かう重力や，摩擦によって引き起こされる速度の低下をも乗り越えるほど強いとキャニーは信じている。「それはいわゆる『圧力ステップ』というもので，管の底に水を取り込むためには根のポンプがどうしても克服しなくてはならないものです」とキャニーは説明する。「いったん入ってしまえば，もう持ち上げる必要はありません」。押し上げ説を批判する人たちは，これを可能にするほど強い根圧はいまだかつて樹木において観測されたことがないと言う。事実，多くの樹木は根圧などまったく有していないようである。

　圧力の源が何であれ，近年の研究によると，木の大きさは，その頂まで水を運ぶのに必要な力によって制限されるという。木部の長さが増すと，摩擦によって生まれる抵抗も増えるため，より背の高い木においては水の圧力が下がる。圧力が下がると，空洞化，つまり管の中に気泡ができる現象がより頻繁に起き，この空洞化によって水の分子間の結びつきが壊れるので，木部を通っていく水の輸送にとって悲惨な結果を招くことになるのである。

実践問題

問 1 Read each passage and choose the best word or phrase from among the four choices for each blank. Then, on your answer sheet, find the number of the question and mark your answer.

The New Face of China's Politicians

The period following China's communist revolution was dominated by dramatic revolutionary leaders such as Mao Zedong and Deng Xiaoping, who brought about sweeping changes. In later decades, as China focused more on growth, it was natural that the nation's leadership became dominated by engineers trained to build, develop and produce. When problems arose, these politicians had a tendency to try and build their way out of them. During the severe drought in the North China Plain, (1), former President Jiang Zemin undertook the large-scale South-North Water Transfer Project, which relied on massive ducts to channel water from the Yangtze River in the south to China's north.

Eight of today's ruling nine-member Politburo Standing Committee and many lower-ranking officials are engineering types, but (2) emerging. The fast-rising younger political personalities are trained in the softer liberal arts, including such fields as law, economics, history and journalism. They are naturally geared to "people solutions." For north China's water shortage, they are more likely to opt for grassroots educational campaigns to conserve water rather than earlier engineering fixes.

As people with more arts-focused backgrounds are gaining political influence, China will likely move away from past policies that emphasized (3). Some younger leaders promote policies that de-emphasize development and wealth. In addition, the law backgrounds of many in the emerging group of leaders seem to indicate a new focus on the rule of law. Villagers are, for the first time, being given advice on their legal rights. It appears that a new age in Chinese leadership is now coming about.

(1) **1** for instance
　　2 on the other hand
　　3 moreover
　　4 in other words

(2) **1** a continuing trend is
　　2 a risk factor is
　　3 signs of change are
　　4 alarming cases are

(3) **1** people's welfare
　　2 personal wealth
　　3 cautious economic expansion
　　4 growth at all costs

問 2 Read each passage and choose the best answer from among the four choices for each question. Then, on your answer sheet, find the number of the question and mark your answer.

The Purpose of Sleep

Scientists have long been mystified about the purpose of sleep. All animals sleep in some form, but the reasons why animals sleep remain a mystery. There has been no shortage of theories why, however, ranging from brain maintenance to increasing lifespan, to undoing damage caused by stress experienced during the waking hours. Nevertheless, none of these theories have been widely accepted as the final answer.

Jerome Siegel, professor of psychiatry at the University of California in Los Angeles, says "Sleep has normally been viewed as something negative in terms of survival because sleeping animals may be vulnerable to predation, and they can't perform the behaviors that ensure survival." These behaviors include hunting, eating, checking for danger, and producing and taking care of offspring. Scientists believed that sleep had some physiological or neural function not served during waking states.

Siegel has a different theory, which proposes that sleep improves animal efficiency and regulates behavior in a way that increases chances for survival. He observed the types of sleep in a variety of animal species and discovered that sleep was much more adaptive than previously believed. There are various kinds of sleep, from extremely dormant states like hibernation to the lighter sleep experienced by humans, all varying according to the needs of particular animals and species. Hibernation, for example, plays an important role in survival for many animals, since it greatly reduces energy consumption when food is scarce and reduces the chance of attack from predators.

Moreover, sleep reduces metabolism throughout the body, particularly in the brain. Though the brain makes up only 2 percent of total body weight, it consumes 20 percent of energy when awake, so a sleeping brain greatly cuts energy consumption. Darwin's theories help to explain why sleep patterns change in humans as they grow older. Humans sleep longer when young because children have a higher metabolic rate. On the other hand, older humans require less sleep because their metabolic rate has slowed. Siegel concludes that sleep provides survival advantages, including "a reduced risk of injury, reduced resource consumption and, from an evolutionary standpoint, reduced risk of detection by predators." Contrary to earlier beliefs, sleep seems to have evolved as a means to increase our chances of survival.

(4) According to Siegel, the majority of researchers have suggested that sleep
   1 is somehow necessary for the maintenance of animals' brains.
   2 serves physiological functions instead of neural functions in animals.
   3 increases longevity by reducing stress experienced by animals when awake.
   4 actually reduces the chances of survival for animals.

(5) What did Siegel learn from observing sleep and other dormant states in various creatures?
   1 Dormant states are extremely similar in all creatures, serving the purpose of reducing energy consumption.
   2 Sleep has many negative consequences such as increased energy consumption and vulnerability to predators.
   3 Various types of sleep appear to have been adapted to serve the needs of individual creatures as well as their species.
   4 Certain types of dormancy are more helpful than others for increasing the chances of a creature's survival.

(6) What do we learn from the passage about sleep and metabolism?
   1 A sleeping brain reduces an animal's metabolic rate substantially, since the brain uses high levels of energy while awake.
   2 Sleep does not reduce metabolism as much as previously thought, since the brain is still acutely aware of various stimuli during sleep.
   3 An animal's metabolic rate will fluctuate and even fall unless the animal is able to sleep, so sleep is necessary for metabolic maintenance.
   4 Children's metabolic rates are surprisingly similar to adults, so they require an equal amount of deep sleep to maintain their metabolism.

The Droughts of West Africa

Researchers Timothy Shanahan of the University of Texas and Jonathan Overpeck of the University of Arizona dug into layers of mud at the bottom of Lake Bosumtwi in Ghana, Africa, to study the drought patterns of the region. Each layer reflects a year's accumulation of mud and chemicals. Their research showed that severe droughts have appeared every 30 to 65 years. But even more significant, the mud revealed mega-droughts, centuries-long droughts that devastated life in the region. The last such drought was over three centuries long, lasting from around 1400 to 1750.

Though the researchers gathered their data on climate change from just Lake Bosumtwi, they are quite confident the evidence reflects climate changes in a wide area of Western Africa. They compared recent weather records from the region with the data obtained from the mud samples and determined that the samples provided an accurate picture of the broader region. By obtaining samples from many layers of mud, the researchers were able to study climate patterns for a period of about 3,000 years. They discovered that at least some of the droughts appeared to be connected to changes in the surface temperatures of the Atlantic Ocean. However, the longer mega-droughts are harder to explain. The last mega-drought in West Africa, which ended in 1750, happened at a time that the Northern Hemisphere cooled, a period known as the "Little Ice Age." Other mega-droughts actually resulted when warming occurred throughout the world.

Scientists realize that making accurate predictions is vital to prepare people in the region for the next drought. Kevin Watkins, Director of the Office of the United Nation's Human Development Reports is deeply concerned about Shanahan and Overpeck's findings. "Many of the 390 million people in Africa living on less than $1.25 a day are smallholder farmers that depend on two things: rain and land," he said. "Even small climate blips such as a delay in rains, a modest shortening of the drought cycle, can have catastrophic effects." Adding to these concerns are the potential effects of greenhouse gases and global warming, which Shanahan and Overpeck predict will worsen future droughts.

Climate scientist Richard Seager of the Lamont Doherty Earth Observatory of Columbia University believes that work is needed to develop more accurate computer simulations to predict climate changes and droughts in the region in the near-term future — years to decades.

(7) Researchers Shanahan and Overpeck felt confident that their findings reflected climate changes in a larger area because
  1 they collected soil and mud samples from various areas in West Africa.
  2 they matched recent regional climate reports with data from their mud samples.
  3 Lake Bosumtwi is in the center of the region and therefore reflects a regional average.
  4 the mud in Lake Bosumtwi is an accumulation of dirt from different areas.

(8) What did the researchers determine about the appearance of mega-droughts?
  1 They seemed to occur at fairly regular intervals throughout the last 3,000 years.
  2 They are linked to changes in temperatures of the surface of the Atlantic Ocean.
  3 They have been linked to happening during both cooling and warming periods.
  4 They seemed to be happening with increasing regularity and strength.

(9) What did Kevin Watkins say about the effects of climate on the people of Africa?
  1 The people there are accustomed to smaller droughts, but the effects of larger droughts are more severe.
  2 The poorer farmers of the region suffer greatly when even minor changes in weather patterns occur.
  3 The people of Africa have been seriously suffering from climate change due to global warming.
  4 Population growth has slowed due to the effects of past droughts that devastated the region.

解答と解説

問1
全訳 　中国の政治家のニューフェース

　中国の共産主義革命の後に続く時代は，毛沢東や鄧小平などの劇的な革命的リーダーたちが統治し，全面的な変革をもたらした。その後数十年，中国はより発展することを重視したことにより，国の指導者が建設，開発，生産の訓練を受けたエンジニアたちによって占められたのは自然の成り行きだった。問題が起こると，これらの政治家たちは何かを建設することにより問題を解決しようとする傾向があった。例えば，中国北部平野で深刻な干ばつがあったとき，前国家主席の江沢民は大規模な南北の水移動プロジェクトに着手したが，南部の揚子江から中国北部へ水を運ぶために，膨大な数の送水管を必要とした。

　今日，中国共産党を支配する9人の政治局常務委員のうちの8人と，多くのより下級の役人がエンジニアタイプだが，変化の兆しは見え始めている。急速に勢力を伸ばしている若手の政治家たちは，法学，経済学，史学やジャーナリズム学などのよりソフトな教養を身につけている。彼らは自然と「人を介した解決法」に向いている。中国北部の水不足問題に対し，前述のエンジニア的な解決法よりは，節水のための草の根的な教育キャンペーンを選ぶ傾向にある。

　文科系出身者が政治的影響を持つようになり，中国は以前の，いかなる犠牲を払ってでも発展を，という方針を重視した姿勢から遠ざかることになるだろう。若手の指導者たちの何人かは，発展や経済力にあまり重きを置かない方針を推進している。さらに，この新たに出現したグループの指導者たちの多くに法学の経歴があることは，法の支配が新たに重視されることを示唆しているようだ。村民たちははじめて法的権利についてのアドバイスを受けている。中国のリーダーシップに新しい時代が生まれ始めているようだ。

語句 sweeping「広範囲に及ぶ，全面的な」　drought「干ばつ」　undertake「着手する」　duct「送水管」　channel「水路で運ぶ」　Politburo Standing Committee「共産党政治局常務委員会」　gear「適合させる」

(1)
解説 　第1段落の前半で，中国の国家政策が成長路線に向くにつれて，理工系出身の指導者たちが国家の牽引力となってきた事実が述べられており，空欄の直前の文で，政治的指導者たちが問題解決の折に建設事業に活路を見出そうとする傾向があったことが指摘されている。それに続く形で，江沢民前国家主席が干ばつ対策として大規模な送水管建設に取り組んだ事例が紹介されていることから，空欄には具体例を導く語句が入ると考えられる。

よって **1** が正解である。

解答 1

(2)

解説 第1段落の流れを受けて，第2段落の冒頭で，現在の中国共産党政治局常務委員9人のうち実に8人もが理工系の出身であることが述べられ，逆説の接続詞 but をはさんで空欄があり，「～が現れ始めている」と続いている。その後，法学や経済学等を専門とする人文科学系出身の指導者が現れつつある現状が紹介されており，空欄の前後で理工系 vs 人文科学系の対比構造が展開されていることがわかるだろう。つまり，指導者の出身背景にまた別の新しい流れが生じ，「変化の兆し」が見え始めているということになる。

解答 3

(3)

解説 人文科学系出身の指導者が政治的影響力を持つようになれば，当然従来の理工系出身の指導者たちが推し進めてきた政策や方針から方向転換がなされることになるが，第1段落で，理工系出身の指導者が台頭してきた背景として，中国が国家として「成長」路線をとってきた事実が述べられている点に注目しよう。つまり，現在の中国が脱却しようとしている過去の政策が推し進めてきたものは，「いかなる犠牲を払ってでも発展を」という内容だったことは明らかであろう。

解答 4

問 2

全訳 睡眠の目的

科学者たちは長い間，睡眠の目的について惑わされてきた。すべての動物が何らかの形で眠るが，動物が眠る理由はいまだ謎である。しかし，脳の機能維持という説から寿命を延ばすためという説，また起きている間に経験したストレスによるダメージを解消するためという説など，理由についての学説は数限りない。しかし，どの学説も最終的な答えとして広く受け入れられてはいない。

カリフォルニア大学ロスアンジェルス校 (UCLA) の精神医学の教授であるジェローム・シーゲルは，「一般に睡眠は，生き残るためにはある種のネガティブなものだとみなされてきた。なぜなら眠っている動物は捕食者の攻撃を受けやすい可能性があり，生存を確保するための行動をとれないからである」と言う。これらの行動は，狩猟をすること，食べること，危険がないか確認すること，そして子どもを産み育てることを含む。科学者たちは，睡眠には，覚醒している状態では行われない生理的機能や神経機能があると信じていた。

シーゲルはそれとは異なる説を唱えている。それは，睡眠は動物の能力を向上さ

せ，生き残る可能性を高められるように行動をコントロールする，というものである。彼はさまざまな動物の睡眠のタイプを観察し，睡眠は以前に考えられていたよりもずっと適応性があるということを発見した。睡眠には，冬眠のような極端な休眠状態から人間が経験するような浅い眠りまであり，すべてその動物や種のニーズによって異なるのである。例えば，冬眠は多くの動物たちが生き残るために重要な役割を果たしている。それは食べ物が少ない時期にエネルギー消費を大幅に抑え，捕食者に襲われる機会を減らすからである。

さらに，睡眠は体全体，特に脳の代謝を抑える。脳は体重のわずか2％を占めるにすぎないが，覚醒時はエネルギーの20％を消費する。そのため，脳が眠っているときはエネルギー消費が大きく低減される。ダーウィンの説は，なぜ人間は年を取るにつれ睡眠パターンが変わるのかの説明を助けてくれる。人間は若い時は睡眠時間が長い。子どもは代謝率が高いためである。一方，年を取った人は必要な睡眠時間が短くなる。なぜなら代謝率が低下するからである。シーゲルは，睡眠は生き残るための利点をもたらすと結論付ける。「ケガの危険が減り，資源の消費が低減され，進化上の視点から見ても捕食者に見つかる危険性が減少する」。以前信じられていた説とは反対に，睡眠は私たちが生き残るチャンスを拡大するために進化したようだ。

語句 mystify「惑わす」 psychiatry「精神医学」 vulnerable「攻撃を受けやすい」 predation「捕食」 physiological「生理的な」 neural「神経の」 dormant「休眠状態の」 hibernation「冬眠」 metabolism「代謝」 detection「発見」

(4) ▶質問：シーゲルによれば，これまで研究者の大多数は次のようなことを提言してきた。眠りとは，

選択肢
1 何らかの理由で，動物の脳を維持するのに必要である。
2 動物の神経機能ではなく，生理的機能のために作用する。
3 覚醒時に動物が経験するストレスを軽減することによって寿命を延ばす。
4 実際は，動物の生存の可能性を減少させる。

解説 第2段落の1文目で，シーゲル教授の発言の引用部分の中に，これまでの研究者たちの認識が明快に書かれている。「生き残るためにはある種のネガティブなものとみなされてきた」わけであるから，**4** が正解であることは明らか。**2** は instead of の表現が間違っており，神経機能または生理的機能のいずれかに何らかの作用があると考えられてきたことが，第2段落の最後に述べられている。

解答 **4**

(5) ▶質問：さまざまな種の動物の眠りや休眠状態を観察することで，シーゲルはどのようなことを知ったか。

選択肢
1 休眠状態はすべての動物に極めて同じように見られ，エネルギー消費を減らすという目的のために作用している。
2 眠りは，エネルギー消費を増加させたり，捕食動物に攻撃されやすくなるという多くの否定的な結果を伴う。
3 さまざまな眠りのタイプは，それぞれの種のみならず，個々の生物の必要に応えるために適応してきたようだ。
4 特定の休眠状態は，生物の生存の可能性を高める点で，ほかの眠りよりも有益なものである。

解説 シーゲル教授の観察結果は，第3段落の2文目 discovered 以降に記されている。「それぞれの動物や種のニーズによって異なる」とあり，**3**はすぐに選べるであろう。**4**は冬眠状態について述べたものだが，すべての種に一様に当てはまる事実ではなく，ほかの眠りと比べて有益であると断定はできない。

解答 3

(6) ▶質問：眠りと代謝に関して，私たちはこの文章からどのようなことがわかるか。

選択肢
1 眠っている脳は，動物の代謝率をかなり減少させる。覚醒時に脳はエネルギーを高いレベルで消費しているからである。
2 眠りは，以前に考えられていたほど代謝を減少させることはない。脳は睡眠中でもさまざまな刺激を敏感に意識しているからである。
3 動物の代謝率には変動があり，眠ることができなければ低下することさえある。そのため，眠りは代謝の維持のために必要なものである。
4 子どもの代謝率は大人のものと驚くほど類似しており，子どもは代謝を維持するために，大人と同量の深い眠りを必要としている。

解説 第4段落の内容が正しく読み取れれば，正解にはすぐにたどり着けるはず。睡眠の最中はエネルギー消費が抑えられ，代謝率も減少するので，**1**が正解である。選択肢の内容も大変紛らわしいので，主旨を取り違えないように注意しよう。睡眠中は代謝率が下がるので，**2**は除外される。また，代謝を維持するために睡眠が必要だという記述はどこにも書かれていない。

解答 1

全訳　西アフリカの干ばつ

　テキサス大学の研究者ティモシー・シャナハンとアリゾナ大学の研究者ジョナサン・オーバーペックは，アフリカのガーナにあるボスムトゥイ湖の湖底の泥の層を掘り下げ，その地域の干ばつのパターンを研究した。各層は1年の間に積み重ねられる泥と化学物質を示している。彼らの研究の結果，深刻な干ばつが30年から65年の周期で起こることがわかった。だがさらに重要なことに，この泥によって，この地域の生物を死滅させた100年規模で続いた干ばつがあったことも明らかになった。このような干ばつで最も最近の例は300年以上にわたり，およそ1400年から1750年まで続いた。

　気候変動に関するデータはボスムトゥイ湖からのみ集められたものではあるが，データによる証拠は西アフリカの広範囲での気候変動を反映していると研究者たちは確信する。彼らはこの地域の最近の天候記録と，泥のサンプルから得たデータを比べ，サンプルはより広範囲の地域について正確な状況を表していたことがわかった。サンプルを多数の泥の層から採取することで，研究者たちは約3,000年もの期間の気候パターンを研究することができたのである。少なくともいくつかの干ばつは，大西洋の海面温度の変化と関係があるようだということもわかった。しかし，より長期にわたる大干ばつは説明が困難である。1750年に終わった西アフリカの最も最近の大干ばつは，北半球が冷却した，いわゆる「小氷河期」に起こっている。実は，ほかの大干ばつは世界中で温暖化が起こったときに発生したのだ。

　研究者たちは，この地域の人々が次の干ばつに備えるためには正確な予測をすることが不可欠であると実感している。国連の人間開発報告書室長のケビン・ワトキンスは，シャナハンとオーバーペックの発見に重大な関心を寄せている。「アフリカに住む3億9,000万人の大多数の人々が1日1ドル25セント以下で生活しています。彼らは小作農であり，雨と土地という2つのものに依存しています」と彼は述べた。「雨季の遅れや干ばつの周期の若干の短縮など，わずかな気候変化でも壊滅的な影響を及ぼすことがあるのです」。このような懸念を高めているのが，温室効果ガスや地球温暖化の潜在的影響で，それが今後の干ばつを悪化させるとシャナハンとオーバーペックは予測する。

　コロンビア大学のラマント・ドハティー地球観測研究所の気象学者であるリチャード・シーガーは，数年から数十年にわたる近い将来にわたり，この地域の気候変動と干ばつを予測するため，より正確なコンピューターによるシミュレーションを開発することが必要だとしている。

語句　layer「層」　accumulation「蓄積，堆積」　Northern Hemisphere「地球の北半球」　smallholder「小作農」　blip「一時的な変化」　catastrophic「壊滅的な，悲惨な」

実践問題

(7) ▶質問：研究者のシャナハンとオーバーペックは，自分たちの発見はより広範囲の気候変動を反映していると確信していたが，その理由は

選択肢
1 彼らは西アフリカのさまざまな地域から土や泥のサンプルを採集したから。
2 彼らは，地域内の最近の気候記録と，自分たちが採集した泥のサンプルから得られたデータを一致させたから。
3 ボスムトゥイ湖は地域の中心にあり，それゆえにその地域の平均値を反映しているから。
4 ボスムトゥイ湖の泥は，異なった地域からきた土が蓄積されたものだから。

解説 第2段落の前半の内容が読み取れれば，容易に正解は選べるであろう。「この地域の最近の天候記録と，泥のサンプルから得たデータを比べ，サンプルはより広範囲の地域について正確な状況を表していたことがわかった」と書かれており，**2**が正解となる。ボスムトゥイ湖から採集した泥は，時代ごとに何層にもなっていると記されてはいるが，異なる地域の泥からなる層であるという記述はどこにも書かれていない。　　解答 **2**

(8) ▶質問：大干ばつの発生について，研究者たちはどのようなことを究明したか。
選択肢
1 それらは過去3,000年間を通して，極めて一定の間隔で発生してきたようだ。
2 それらは，大西洋の海面温度の変化と関係がある。
3 それらは，地球の冷却期と温暖期の双方の時期に起こったことと関連してきた。
4 それらは，規則性と威力を増しながら生じてきたようだ。

解説 第2段落の後半に関連する記述があり，ここを読み違えないことが大切である。一般に干ばつは地球温暖期に生じると考えられるが，西アフリカで起こった最も最近の大規模な干ばつに関しては，逆に小氷河期と呼ばれる地球冷却期に生じた事実が最後のところで紹介されている。このことから，**3**が正解とわかる。**1**や**2**の記述も実際に本文中で言及されてはいるが，それは通常規模の干ばつに関するものであって，長期間の大規模干ばつの話と混同しないように注意が必要である。　　解答 **3**

(9) ▶質問：ケビン・ワトキンスは，アフリカの人々が気候から受ける影響について何と言っているか。

選択肢
1 そこに住む人々は規模の小さい干ばつには慣れているが，大規模な干ばつの影響はより深刻だ。
2 たとえほんのわずかな気候パターンの変動であっても，その地域の貧しい農民たちは多大な被害を受けることになる。
3 アフリカの人々は，地球温暖化による気候変動にひどく苦しめられてきている。
4 その地域を荒廃させた過去の干ばつの影響で，人口増加のスピードが遅くなってきている。

解説 第3段落のワトキンス氏自身の発言が引用された個所にすべてが集約されている。貧しいアフリカの農民の生活は「雨と土地という2つのものに依存している」，「わずかな気候変化でも壊滅的な影響を及ぼすことがある」という発言から考えて，**2**以外に正解はあり得ない。**3**のように，地球温暖化が直接の原因であるとは書かれておらず，また**4**にあるような人口に関する内容も本文中では一切触れられていない。

解答 **2**

CHAPTER 3
英作文問題

英作文問題の形式 …… 144
英作文問題の傾向 …… 146
英作文問題に必要な力 …… 148
実践問題 …………… 176

英作文問題の形式

大問 4 英作文問題

- 出題数　　　　1問
- 配　点　　　　14点
- 解答指定語数　100語前後

形式

友人などから来たEメールなどに対し，100語程度の返信を書く

出題のねらい

Eメールなどに含まれる送信者の意図を的確に汲み取り，適切な英語で表現できる力を問う

Grade Pre-1

4

- Read the e-mail below.
- Imagine that you are Mai. Write an appropriate response to Anthony in the space provided on Side B of your answer sheet.
- Your response should be around 100 words in length.

E-MAIL

Dear Mai,

I hope you're well.

Yesterday, I read a magazine article about retirement in Japan, and I'd like your opinions. The article mentioned that nowadays more people choose to continue working after retirement age. Why do you think this is happening?

The article also said some people move to the countryside to get away from the city when they retire. Do you think this is a good idea?

Where I live, elderly people can ride the bus and enter movie theaters for a cheaper price. In your opinion, are these kinds of discounts necessary?

I look forward to your answers.

Anthony

英作文問題の傾向

大問 4 英作文問題

● 過去に出題された主なトピック

日本の文化・風習・慣習

日本の若者がフリーターになるのはなぜか。
日本では多くの人が通勤に車を使用しているか。
日本では生徒に制服の着用を義務付けているか。
最近，日本人が和食を食べなくなった原因は何だと思うか。

教育

外国語学習を小学校かそれ以前に始めるべきか。
職業選択時に重要視する要素は何か。
子供は家事を手伝うべきか。
クラブ活動で生徒が得るものは何だと思うか。

マナー

駅近くの人通りの多いところでの喫煙禁止といった規制は必要か。
自転車に乗るときはヘルメットの着用を義務付けるべきか。
サイクリングやランニング中に携帯音楽プレーヤーを聴くのは危険だと思うか。

時事・流行

太陽エネルギーなど，ガソリン以外のものを動力にした乗り物は今後普及すると思うか。
駅中に大型複合施設が建てられる理由は何か。
インターネット上のスーパーで食品を買うのはいい方法か。

傾向と分析

　海外の友人などから来るEメールに含まれる質問の内容は多岐にわたるが，それでもいくつかの類型には大まかに分けることができる。「日本では～」「日本の～」と，日本の文化や風習について尋ねる質問は典型の1つであるが，「事実」を尋ねるタイプの質問として問われる場合が多い。Eメールの送り主は，雑誌やテレビなどで見聞きした情報を元に送り先にメールを送るという設定が多いため，最近よく話題にのぼる身近な，あるいは社会的な問題に関わる質問が多く含まれる傾向にある。「マナー」や「時事・流行」などがそれに該当するが，普段から周りで起こるさまざまな出来事にいかにより多くの関心を抱いているかも問われてきそうだ。

（2005年度第3回～2009年度第3回のテストを旺文社で独自に分析しました）

英作文問題を解くために必要な力

❶ 基本的なライティングの力（ライティング力の向上）

　英検準1級の英作文問題では，Eメール形式の問題文に100語程度の返信を書くことが要求される。そこで必要な作文の力は，日本の文化や習慣に関する質問などに対し，簡潔な英文で答えることである。構成に凝った長い文章を書く力は要求されておらず，説明や意見を分かりやすい短文で書く力が必要となる。そのためには，主述のしっかりとした基本的な英文が書けなければならない。また，自分の書いた英文を読み直し，誤りに気づいて修正できるようにしておく必要もある。

❷ 質問に的確に答える力

　メール形式の問題文には，性質の異なる3つの質問が含まれている。そのうちの1問は，日本の文化や現代社会でよく問題にされる事例について，その詳細やそのような問題が起こる理由を尋ねるものである。そこで必要な力は，短い時間で質問の意図を把握し，現代社会の状況を踏まえた事実に補足説明を加えた英文を作成する力である。解答の内容はごく一般的に通用している解釈を根拠として構わないが，英文はライティングの原則にのっとった，ある程度説得力のあるものを作成することが重要である。

❸ 意見を述べる力

　多くの場合，3つの質問のうちの後半の2つでは，現代社会や日本文化に関して，受験者自身の意見を述べることが要求される。前項と同様，英文ライティングの原則にのっとった説得力のある英文で意見を表す力が必

要である。文の質に加え，短時間で意見をまとめる訓練も必要となる。物事に対する受験者自身の明確な立場を表明できるようにするために，普段から社会問題に目を向けて考えておくことも鍵となる。

❹ 意見に理由付けをする力

　簡潔で明確な意見に説得力を持たせるためには，しっかりとした根拠が伴っていることが条件となる。明確な立場を示す意見を書いた後に，なぜそう考えるのかという意見に対する理由（根拠）を添えることで，説得力のある意見のセットが出来上がる。限られた時間の中で，できるだけ具体例を含む理由を考えつく力が要求されるが，これも普段からメディアなどを利用し意識を高めていくことで身に付く力である。

❺ パッセージの流れをつくる力

　3つの質問にすべて答える準備ができたら，それをEメールの形式に整えなければならない。まずは一般的な英文のEメールの形式（手紙とほぼ同様）に関する知識が必要である。さらに，解答に必要なパーツとして，それぞれの質問に対する回答の橋渡しをする適切なつなぎ言葉が挙げられる。一般的なメールや手紙に含まれる形式的なパーツも漏れなく入れ，的確なつなぎ言葉を使いながら3つの質問の順序に沿って英文を組み立てていくことで，申し分のない解答が出来上がるのである。

❶ ライティング力の向上

ライティング（英作文）問題の解答方法を学ぶ前に，ここでは英文を作成する際の注意点と，ライティング問題に対処できるように，普段どのようなことに留意しておけばよいかを見ていくことにする。

1 わかりやすい文を書く

準1級のライティング問題のポイントは，解答が出題されたEメールへの返信として機能するように，コミュニケーションを成立させることにある。細かな文法や語彙のミスに気をつけることも必要だが，「文章全体の意味が理解できない」あるいは「文の構造が複雑過ぎて混乱してしまう」というような，読み手の理解を大きく阻害するような文章にならないように留意すべきである。

● 複雑な構文は避ける

複雑な文構造は誤解を招くことが多い。なるべく明快な文構造を持つ文を書く方が，読み手のスムーズな理解につながる。例えば「私が毎日使っている携帯電話の機能のうち，完全に使いこなしているのは少ししかない」という日本語を表した2つの英文を比べてみよう。どちらの方が理解しやすいだろうか。

例1 There are only a few functions of my mobile phone I perfectly know how to use that I use in my everyday life.

例2 Even though I use my mobile phone in my everyday life, there are only a few functions that I can perfectly use.

例1は，後半のthatがmobile phoneを先行詞にとる関係代名詞であることを理解するのに苦労する。シンプルな構造の例2の方が理解しやすい。

● あいまいな表現は避ける

次の例のように，分詞構文を使用するのもさまざまな解釈が生まれ，意味があいまいになることが多いので避けたい。明確な意味を持つ接続詞を用いた表現を使用し，言いたいことをはっきりと表したほうがよい。

例3 Spoken by about 500 million people, there are far fewer English speakers than Chinese speakers.

❓「約 5 億人の人にしか話されておらず，英語話者は中国語話者よりも少ない」
 → Because only about 500 million people speak English, ...
❓「約 5 億人もの人に話されているのに，英語話者は中国語話者よりも少ない」
 → Although about 500 million people speak English, ...

2 ケアレスミスに注意

英文を書いた後には必ず自分の解答を見直す習慣をつけることが，ミス防止への最善策である。注意しなければならない細かい文法のミスは数えあげたらきりがないが，以下にケアレスミスを防ぐためのいくつかのチェックポイントを挙げる。

● 時制の一致
英文全体は過去形で書かれているのに，途中に動詞の現在形を使用していたり，文中の従属節と主節の時制が異なっていたりすることが多い。

● 主語と動詞の一致
現在形で主語が三人称単数であるにもかかわらず，動詞に -(e)s をつけ忘れることが非常に多い。主語が everyone や each のときに最も多くミスが発生しやすい。主語と動詞の数の一致に注意しよう。

● 代名詞の単複の一致
複数形の名詞を次の文で単数の代名詞にしてしまうことが多い。次の例で確認してみよう。もちろん逆の可能性もある。

  Most high schools have various kinds of club activities. I think it is good for students to participate in it.

● 不完全な文に注意
最も多いのは以下のような例。because は S（主語）＋ V（動詞）… という副詞節を導く。したがって，その部分だけでは文にならない。

  × The high price of oil is a great problem. Because oil is necessary for everyday life.
  ○ The high price of oil is a great problem because oil is necessary for everyday life.

3 社会問題に目を向ける

　準1級のライティング問題はEメールの形式をとりながらも，実際は身近な日本の社会問題や文化について，求められた意見を的確に英語で書くことができるかを問われている。このような問題に対処するためには，普段から生活に即した時事的な内容について考える習慣をつけることが大切である。新聞やテレビニュースなど，日本語のメディアで十分なので，自分の意見が述べられそうな記事やニュースがあれば，意見を英語で書く訓練を心がけるとよい。特に，次のような観点で練習するトピックを選ぶとよいだろう。

1 日本の社会や文化に特有な現象
2 昔の世代と現代で大きく変化した状況
3 若者を取り巻く社会や文化に関すること
4 コンピューターなどの科学技術に関する問題
5 環境に関する問題
6 健康や食生活に関すること

　意外に利用価値が高いのは，新聞の投書欄である。投書欄には最近話題になっている社会問題などについて，多くの人がさまざまな立場から意見を寄せている。このようなさまざまな意見は，自分の意見を構築する際の参考になる。

❷ 質問に的確に答える

　ライティング問題では，問題文に含まれた3つの質問に答えながら返信メールを作成することが要求されるが，3つの質問は，社会的・文化的背景などについての「事実（と補足情報）を述べるもの」と「意見と根拠（理由）を述べるもの」とに分けられる。ここでは，まず与えられたメールからそれら3つの質問を把握し，1つ目の質問である「事実を述べるもの」についての解答を作成することを目指す。

1 質問を把握する

　質問のタイプにかかわらず，問題文のメールから，まずは何に答えるべきかを的確に把握しなければならない。例えば，次のメールでは，どこがその質問の部分にあたるだろうか。

例題

Dear Nao,

How are you? I'd like to ask you some questions for an essay I'm doing on transportation.

In Australia, the price of gasoline is very high now. That's a problem because most people need cars to get to work every day. Do most people in Japan rely on cars, too?

My town has introduced a bus that runs on solar energy. Do you think such vehicles will become popular in the future?

The other day, my sister got her driver's license. She's only 16. In your opinion, do you think 16 is too young for people to get a driver's license?

I look forward to your answers.

Dan

(2008-2)

質問の個所は以下の3か所である。過去のすべての出題で，質問は3つとなっている。質問にはすべて答えを書く必要がある。

① 第2段落最終文　Do most people in Japan rely on cars, too?
② 第3段落最終文
　　Do you think such vehicles will become popular in the future?
③ 第4段落最終文
　　..., do you think 16 is too young for people to get a driver's license?

このうち，①は社会的・文化的背景についての「事実」を尋ねており，②と③は受取人（実際は受験者）の「意見」を尋ねている。②と③のような意見を問う質問は次のセクションで扱うことにし，ここでは客観的な事実を示す必要がある①について考えることにする。

2 事実を簡潔に述べる

質問の個所を把握したら，次に答えの内容を考える。事実を答える質問の場合は，最初に質問に直接的に答える一般的で簡潔な文を書いた後，それをサポートする詳しい事実を追加する。最初の文は，質問で使用されている文構造に合わせた構文を用いると簡潔な解答を作りやすい。

例1　Many people in suburban areas and the countryside rely on cars.
例2　Although a lot of people in Japan rely on cars, most people don't.

特に質問の構文にとらわれずに，以下の例のような解答をしてもよい。ただし，きちんと質問に答えているということが，読み手に容易に認識される解答でなければならない。

例3　Cars are essential for those who live in suburban areas and the countryside.
例4　It depends on where you live. There is a big difference in the dependence on cars between urban and rural areas.

解答は1つの質問につき30～40語程度にすると，返信メール全体で100語程度になる。したがって，この部分で書くべき分量は1文（10～15語程度）と考えよう。

3 補足情報を加える

　質問に直接的に答える英文を書いたら，次に，その文をさらに詳しく述べたり，理由を述べたりする文を1〜2文（20〜30語）添える。この手順で解答を完成させると，情報量も十分な解答になるはずである。前述の例を使って考えてみよう。

例1・例3への補足情報：地方では多くの人が車に依存するわけ

例5 In suburban and rural areas, bus and train services are infrequent. As a result, people tend to use cars more often than in large cities.

例6 In the countryside, there are often a lot of shopping malls in areas where the public transportation system is not well-developed, so people need cars to get there.

例2・例4への補足情報：
必ずしもほとんどの人が車に依存しているわけではない事実

例7 In large cities, many people rely on the train system because it is more efficient than any other means of transportation.

例8 Far fewer people use cars in urban areas, where it is more convenient to take trains or subways because roads are too busy with business vehicles, especially on weekdays.

　このように，最初に簡潔で直接的な文で質問に答え，後から補足的に説明を加えるという方法は一般的にライティングの構成として好まれる形式で，エッセーなどのより長い文章を書く際にも有効な方法である。説得力のある文章を作成するときの手法として身につけておきたい。次のセクションで扱う，意見を問う質問に対する答えも，同様の構成で答えるとよい。

トレーニング

次の質問について，英語で答えなさい。

(1) Do Japanese people often talk on cell phones on trains or buses?
(2) Should college students seeking a job wear dark suits to job interviews?
(3) In the U.S. families and relatives get together to celebrate Christmas and Thanksgiving. Is there any special occasion when Japanese families get together?
(4) What is the biggest problem among young people in Japan?
(5) I heard that people in Japan ride bicycles to get to work instead of taking buses or driving cars. What's made you change your commuting styles?
(6) I've heard that even young children in Japan go to cram school or juku after school. Why do they study so hard?
(7) How do families in Japan today differ from those in the past?

解答と解説

解答例

(1) Japanese people sometimes talk on their cell phones on trains or buses. But we are more careful and quieter now than several years ago, because we all know there are rules against using cell phones on public transportation.
(2) Japanese college students should wear dark suits to job interviews, because almost all job candidates wear dark suits. If candidates look different, especially if they look informal, interviewers may think they are not serious.
(3) Japanese families and relatives get together on New Year's Day and during O-Bon, which is a countrywide summer festival held for the purpose of welcoming back the spirits of the dead.
(4) Young people today are worried about getting a job after they graduate from university. It is difficult to get a good job today, even for some graduates of top universities. Therefore, looking for a job is often stressful.

(5) Many Japanese people like to ride their bicycles to work because it saves money, helps protect the environment and is healthy. Also, many Japanese people do not like to ride buses or trains, because they are often very crowded.

(6) Particularly in metropolitan areas, parents want their children to go to good private junior high schools and even elementary schools. Unfortunately it is not always possible to pass the entrance examinations for these schools without extra study in cram schools.

(7) Families tend to be smaller than in the past. In the past most families had many children and also lived together with grandparents. These days due to the high cost of raising children and the fact that many people leave their hometowns, families tend to be much smaller.

解説

(1) 一般的な状況を説明してから,最後にその理由を説明している。公共のマナーについての出題の可能性は高い。マナーについては,少し前と現在の状況を対比して把握しておくとよい。

(2) この問題でも,現在の状況とその理由が説明されている。20〜30歳ぐらいの若者の現代文化や習慣に関わる質問は多いので注意しよう。

(3) 日本の伝統文化についても,英語できちんと説明できるように訓練しておこう。全く日本を知らない人にもわかるような,簡単で一般的な説明が適している。

(4) 若者の問題点をあれこれ考えて一番を決めていると時間が足りなくなってしまう。即座に思いついた問題について述べ,その後に少し詳細な状況や,なぜそうなっているか,考えられる範囲の情報を付け加える。

(5) 質問は日本人の通勤についてだが,環境問題や健康,社会問題につながるトピック。最近の動向をニュースなどのメディアからチェックしよう。

(6) 家庭や学校での教育問題は日本に特有な話題が多く,今後も出題される可能性がある。特に家庭での子どもへの教育方法については,日ごろから自分の考えをまとめておく必要がある。親の立場,子の立場,どちらから論じてもよい。

(7) 答えの可能性が広い質問はその話題についてすべてを網羅するのは大変なので,話題を1つ(ここでは家族の構成人数)に絞って書くとよい。

3 意見を述べる

　出題されるメールにある3つの質問のうち，ここでは「意見と根拠（理由）を述べる」ことが求められる質問について，まずは意見を書くことを学習する。意見にはそれに対する理由付けが必要となるが，このことについては次項で学習する。

1 立場を明確に決める

　意見を書く場合に注意しなければならないのは「立場を明確にする」という点である。自分の立場を明確にしておくと，筋の通ったライティングができるが，あやふやな立場だと，自分の意見をサポートする根拠も弱いものになってしまう。

● **つけ加える根拠のことを考えて両方の立場を考える**
　では，先項の2008年度第2回の問題の質問②について考えてみよう。

　Do you think such vehicles will become popular in the future?
　[such vehicles: a bus that runs on solar energy などを指す]

　立場とは，太陽エネルギーで走るバスなどが増えると思うか，思わないかのどちらかである。どちらかに決める際には，自分が信念を持てる方を採用するのもよいが，前項の質問①で学習したとおり，後に根拠をつけることも考えよう。立場を決める前に両方の意見をそれぞれサポートする根拠について考え，後で簡単に英文にできそうな根拠を持つ立場をとる方がスムーズに英文が作れる。例えば，

　質問を肯定する立場の根拠：
　　これまで使っていたエネルギーには限りがある
　　→ 太陽エネルギーバスの需要が増える
　質問を否定する立場の根拠：
　　ソーラーパネルは維持費がかかる → 太陽エネルギーバスの需要は増えない

　このように考え，書きやすい根拠を持つ立場を選択するとよい。頭に浮かぶことを書き出せるだけ書き出す活動を brainstorming と呼ぶが，ここではごく簡単な brainstorming を行い，あらかじめ根拠を考えておくことで，スムーズに英作文ができるように備えるのである。

2 意見をまとめる

　意見への理由付けを書きやすくするために，質問に対する両方の立場を考えてみたが，次は，立場を決定させて，それを英文にしてみよう。

● 立場が決まったら解答の定型に当てはめる

　前項のとおり日本語で brainstorming した後，自信を持って根拠を書けそうなものを前提とした立場を，自分の意見として採用する。例えば，肯定の立場に挙げた根拠をシンプルな理由なので採用するとしよう。この立場は差出人（問題例では Dan）のメールにある質問を肯定しているので，意見として書く際は，

I think (that) such vehicles will become popular in the future.

となる。否定する場合は，最初の部分を I don't think... に変えればよく，文の後半はどちらの場合も差出人のメールの記述をそのまま利用できる。I think... に代表されるように，意見を書くときの自分なりの定型を決めておけば，英文作成はスムーズになる。前半に，I agree [disagree] about the idea that... を使用する，というのでもよい。

　またここで，such vehicles などのように，いきなり出てきたときにはわかりにくい指示語が入っている場合については，出題文の E メールにある語句を活用し，such vehicles as solar buses のように，わかりやすく調整しておく。

　では最後の質問③については，どのような意見にまとめられるだろうか。

▶質問：Do you think 16 is too young for people to get a driver's license?

　先ほどと同様に，質問への肯定と否定の両方の立場を，簡単に根拠を挙げながら考えてみよう。

肯定の立場：責任感や成熟度の観点から車の免許を取るのはまだ早すぎる
否定の立場：日本でもバイクの免許は 16 歳で取れるので，車の免許も同じでよい

　根拠がよりシンプルな否定の立場を採用すれば，定型に当てはめて次のような意見を書くことができる。

I don't think 16 is too young to get a driver's license.

● **多面的な意見を避ける**

多面的な意見を持つこと自体は推奨されるべきではあるが，意見を提示する場合には，必ず根拠を示すことが必要である。したがって，多面的な意見にはそれだけの数の根拠が必要となり，100語という制限語数内で網羅しようとすると，1つ1つが浅い根拠になってしまう。十分な根拠がないと，説得力のない英文になってしまう。ライティングのポイントはあくまでも，明確な意見とそれを支持する的確な根拠が示されているかどうかである。次の例で確認してみよう。

▶**質問**：In my county a large number of people can speak two languages. Do you think that Japan should make English and Japanese the two official languages?

多面的な意見：

I think that there are both advantages and disadvantages to the idea.

説得力のある根拠を示すとなると advantage と disadvantage の両方について時に具体例を出しながら説明せねばならず，かなりの量のセンテンスを費やすことになる。そこで，次のような単純な根拠を挙げて意見を示す方が，簡潔な文章を書くことができる。

立場の明白な意見と根拠：

I don't think it is a very good idea because the disadvantages of an increasing cost to teach children English at school and to change all public traffic signs into both Japanese and English are too big.

単純でよいので，明白な意見と根拠の方が，全体として意見が読み手に伝わりやすい。あくまでも，短時間でコミュニケーションを成立させる文章を書くことを念頭に，解答に当たろう。

トレーニング

次の質問に，英語で意見を簡潔に答えなさい。

(1) What do you think about very young children going to cram school?
(2) Do you think mothers should stay home and take care of their children instead of working outside?
(3) Do you think that a lot of Japanese people suffer from depression?
(4) What do you think we should do to protect the natural environment?
(5) I read an article that said that in one survey only 3 percent of Japanese people would be willing to start a venture business, compared to about 50 percent of people in the U.K. Do you think Japanese people in general are hesitant to take risks?
(6) How do you think we can reduce the number of nuclear weapons?

解答と解説

解答例

(1) I don't think it's a good thing, but it might be the only way for them to get into a good elementary school.
(2) I think it is often best for mothers to stay home to care of their children, especially younger ones.
(3) I think a lot of people might suffer from depression due to overwork.
(4) There are several things we can do to protect the environment, including recycling our garbage, taking public transportation instead of driving cars, and reducing the amount of gas emission and electricity we use at home.
(5) It might be true that Japanese people don't like to take risks. People in Japan have traditionally been cautious, and prefer to plan carefully and work steadily toward their goals.
(6) Countries that now have nuclear weapons must negotiate and cooperate to reduce their number of nuclear weapons. This will set an example for other countries that don't have nuclear weapons, keeping the number of such weapons smaller.

解説

(1) この解答は，前半では塾に行くことが良いことではないと思うという明確な立場を示してはいるが，後半はそれを和らげるややあいまいな解答になっている。この後に「なぜそれが良いことだと思わないのか」，「どうして塾に行くことが唯一の方法なのか」という根拠を述べることになるが，前半部分だけを生かし，良くないという根拠を挙げるのみの解答を作成することも可能だ。

(2) これは質問の内容に賛成する意見を主張している。しかし，it is 'often' best... のように，「そのようなことがよくある」，つまり100%そうではないという書き方をしていることに注意しよう。このような強い表現を和らげる副詞は有用である。ほかの意見として，I think it depends on the mother's character. というのもありうる。後で Some women are more suited to working than to staying home. などの根拠を付け加える。

(3) まず，質問に対し，多くの日本人がうつ的な状態にあることを認める返事をし，そのうつ的状態が，働き過ぎによるものかもしれないという立場を示して解答している。前の問題同様，a lot of people 'might' suffer... のような，文の主張を控えめにする助動詞を使った書き方がなされている。この後には，なぜ日本人が働き過ぎでうつ状態になるのか詳しい根拠が付け足される。

(4) I think we should do... のように，質問の構文をそのまま使った解答を作っても十分通用する。後の根拠については，解答に挙げられた我々がすべきことの例すべてについてその根拠を挙げると長くなってしまうので，全体をまとめ，By doing these things, we can save natural resources which will run out in the future. などとする。

(5) Yes, I think Japanese people might be more hesitant to try something new than people in other countries. という，質問で使われている Do you think...? に直接的に答える構文を使った解答でも良い。解答例では「理由」まで述べているが，その後半部分は意見への根拠とし，この質問に対する解答を完結してしまって構わない。

(6) 「我々はどうしたら核兵器を減らせるか」という問いだが，無理に「我々は…したら核兵器を減らせる」という文を作成する必要はない。与えられた質問に直接的に答える内容であれば，解答例のような「核兵器を持つ国々が協議すべきである」という英文も適当な解答である。

4 意見の理由付け

すでに前のセクションで，意見の後に続くべき理由や事実を含む根拠について考える学習をしたが，ここでは，実際に理由付けを書く場合に身につけるべきことを学習する。

1 根拠の重要性

意見を述べる際には，それを説得力のあるものにするための根拠や具体例が必要である。そのようなサポート (supporting details) がない意見は，思いつきの理屈やおざなりの意見と受け取られてしまう。意見と根拠（理由）がそろって初めて，議論が成立するのである。

例えば「日本人は以前に比べて外食することが多くなった」という主張は，「ファミリーレストランの普及によって，それほど出費を気にせずに外食ができるようになったから」，「以前は主に繁華街に多く見られていたさまざまな食堂やレストランが，郊外にも目立つようになったから」などの根拠によって説得力を持たせることができる。読み手をより強く説得するには，最初に述べる意見は抽象的にしておいて，その後のサポートでなるべく具体的な例を提示するという方法がよい。

2 根拠を英文にする

意見を考える際に根拠も一緒に考えたので，その根拠を英文にしてみよう。「意見 → 根拠」を1セットとして，30〜40語ぐらいを目安にする。前項の例で考えてみよう。

意見：
　I think (that) such vehicles as solar buses will become popular in the future.

考えておいた根拠：
　これまで使っていたエネルギーには限りがあるため，太陽エネルギーバスの需要が増える

この根拠を英文にすれば次のようになろう。

　Because the energy sources we have been using are limited, the need for buses that run on solar energy will increase.

意見と根拠を合わせた語数の目安は30語程度だが，足りない場合は補足する。前述の例は35語なので問題はないが，もし補足が必要であれば，「これまで使っていたエネルギーには限りがある → 新しいエネルギーを使う必要がある → 太陽エネルギーなどの新しいエネルギーで動くバスの需要が増える」のように補足する。

　　Because the energy sources we have been using are limited and we need to use new energy sources, the need for buses that run on new energy sources such as solar energy and biofuel will increase.

● 具体性を持った根拠を考える
　後に来る根拠はできるだけ具体的なものの方が説得力が増す。次の例で確認してみよう。

▶質問：Do you think Japanese high school students should have more freedom?
▶意見：I think it's OK to give high school students more freedom as long as they agree to behave responsibly.
▶根拠：You can control your behavior properly if you have a strong sense of responsibility towards yourself and others.

　「高校生にもっと自由を与えるべきか」という問いに対し，条件付きだが自由を認める意見を提示している。その根拠は，「強い責任感があれば，行動を適切に律することができる」となっている。根拠としては一見もっともらしいものだが，抽象的な要素が大きく，説得力が足りない。より具体的に，(a)「自由を与えられた生徒がむしろ以前よりきちんとした生活を送っている学校の例が報道されていた」や，自分自身の経験から，(b)「自由であると同時に自身の行いに責任も持つという方針の学校に通っていたが，生徒たちの態度はとても良かった」などの根拠があると説得力が増す。

　具体的なサポート例：
　　(a) I saw a TV program about a school where the students who had been given more freedom could behave better than before.
　　(b) I went to a school where we were given as much freedom as we wanted but in return we had to take responsibility for our actions. All of the students in my school behaved very well.

● 意見に直接関係する根拠を書く

　準1級のライティング問題を学習する際には,「パラグラフ（段落）」の考え方を意識するとよい。パラグラフとは,単なる文の集まりではなく,ある話題について簡潔に筆者の主張を示す「トピック・センテンス」と,それを「直接サポートする文（サポート・センテンス）」から成る段落を表す。

　前項「意見を述べる」で学習したような簡潔に表された意見は,いわばトピック・センテンスであり,その後に続く根拠はサポート・センテンスである。したがって,この根拠も自分の述べた意見を「直接」サポートしている必要がある。書き手が自分自身の議論に疑問を示したり,例外を示したりする「直接関係のない」記述は必要ない。以下のように,婉曲的なサポートをする文や,テーマに関係のない文は根拠として不適当である。

▶質問：What do you think the main function of school in Japan is?
▶意見：I think the main function of school is to teach children how to get along with other people.
▶根拠：The family seems to have the same function, but the family teaches them implicitly.

　「日本における学校の主な役割は何か」という質問に対して,「学校は周りの人々とどのように付き合っていくかを教える役割を担っている」という意見を提示している。その根拠が「家庭も同様の役割を担っているが,それを暗黙のうちに教えている」となっているが,この文は意見に直接関連しているとは言えない。もちろん,家庭が学校と似たような役割を持つという点で無関係ではないが,それよりも「学校が周囲との人間関係を学ぶ役割を担う」という意見をサポートする具体例を挙げるなど,提示した意見を強める働きをする内容にすべきである。例えば,次のような根拠はこの意見に直接関連し,サポートしている。

▶根拠：At school, students have to act efficiently as a group member in class, work in a student committee, cooperate during club activities, etc. They learn how to get along with others in the activities at school.

トレーニング

次の質問に，意見と根拠の両方を英語で答えなさい。

(1) Agree or disagree: Mothers should stay home and take care of their children instead of working outside.
(2) Do you think smoking should be banned in all public transportation facilities?
(3) What do you think of the idea that Japanese people with no work to do should participate in volunteer activities?
(4) Do you think the average vacation time in Japan is too short?

解答と解説

解答例

(1) Mothers should stay home and take care of their children instead of working, because children can feel safer, feel more loved, and have better care and food from their own mothers rather than from strangers.
(2) Smoking should be banned in all public transportation facilities because non-smokers do not want to breathe unhealthy smoke from smokers. Non-smokers also have to use public transportation, so they cannot escape smoke if smoking is allowed.
(3) I think that encouraging unemployed people to participate in volunteer activities is a good idea. There may be a lot of people without work who want to do something for others but who do not have the opportunity. Society can make good use of those people who'd like to help others.
(4) Yes, I do. The short holidays in Japan don't give people enough time to relax or to go anywhere. Because most people can only take about a week off work, they don't have enough time to travel abroad. For example, it takes about a day to get to Europe and a day to get back, which leaves only five days for sightseeing.

解説

(1) 問題文に対し「母親は家にいない方がよい」とする反対論を，理由を挙げて説明することは難しいだろう。したがって，ここでは，賛成論を展開するほうが短時間で英文をまとめるのにはよい。この解答例は，賛成の立場を明確に述べ，その後でその理由をいくつか挙げながらサポートをする展開法をとっている。このような展開法は簡便なものなので，具体的な理由が考え付く場合にはぜひ使ってほしい。

(2) 論の展開は，喫煙者の立場を全く排除した，公共交通機関での全面禁煙の立場を一方的に述べている。実際に物事を考えるときには，このような論展開では反論すべきことがたくさんあるだろうが，短時間で立場の明確な英文を書くことが求められている場では，解答例のような単刀直入な解答を貫く方がよいだろう。

(3) 無職の人々がボランティアをすることによってどのような利点があるか，具体例を示して述べられれば解答法としては最善ではあるが，具体的な事実などを提示することが難しければ，解答例のように自分の考える社会像などを述べるのでもよい。具体的な事実がない場合は，意見に関連した根拠であればよい。

(4) まとまった長さの英文を作成する場合の構成として，全体的なことから書いていき，徐々に細かな具体例を書いていくのが英文の一般的な論の展開方法である。解答例はこのような「抽象から具体へ」の展開法に沿った根拠の示し方になっている。For example 以降にかなり細かな事実が書かれているが，このような具体例が提示できる場合には，積極的に活用しよう。

5 パッセージの流れをつくる

　ここまでは，出題されるEメールに含まれている質問への答え方を学習してきたが，実際に解答する際には，メールの返信という形式で文章を書く必要がある。ここでは，最終的な解答の整え方を学習する。

1 解答に必要なパーツ

　Eメールの返信という形式で解答を作成する際に用意すべきパーツは以下のとおりである。これらのパーツをつなぎ合わせてまとまりのあるメール文にする。
  1 メールの前書き
  2 質問①への返答
  3 質問②への返答
  4 質問③への返答
  5 結びの言葉

2 各パーツを作成し，流れよくつなげる

　次の解答例は前述のような構成になっているが，どのようにパーツ同士がつながっているだろうか。

Dear Julia, It was nice to hear from you. Let me answer your questions.	1 前書き
First, people who use portable music players are less aware of their surroundings because they are focusing on listening to the music. As a result, they may bump into people or could possibly cause serious accidents.	2 返答① First, で最初の質問への返答であることを明示
As for bicycle helmets, head injuries are common even in minor accidents, so helmets can save people's lives. Therefore, all cyclists in Japan should be made to wear them.	3 返答② As for... で話題の転換を図る
I think it is great that you can learn first aid at school. Accidents in the home are common, so it is important that people know how to deal with emergency situations.	4 返答③

Write again soon. Masashi	**5** 結びの言葉

　この例からも明らかなように，それぞれのパーツは流れがつくられるように接続語句などで結合されている。

　それでは，1つ1つのパーツと流れをつくるつなぎ言葉について，書き方や使い方を確認しよう。

● **あいさつと前書き**

　最初に書くのは，Dear... だが，出題されるメールの一番最後の名前を Dear の後につける。ほとんどの場合，出題の設定は友達同士のインフォーマルなメールなので，Mr. や Ms. などの称号 (Title) をつける必要はない。名前の後には，コンマ (,) かセミコロン (;) をつける。

　以下に，英検に限らず，書き出しの一般的な書き方を示す。

相手の名前がわかっているとき：
　Dear Mr. [Ms. / Dr. / Professor] ＋姓（フォーマルな場合）, / Dear ＋名（友人などの場合），

相手の名前がわからないとき：
　Dear Sir [Madam], / To whom it may concern, / Dear Service Manager,　など

　次は簡単に，手紙をくれたことのお礼や，相手を気遣う文を入れる。日本語のような時候のあいさつは不必要で，英検の解答には次のような文でよい。使う文を何か1つ決めておくとよい。

　Thank you for your e-mail. / It was nice to hear from you. / I'm doing well.

　前書きの最後には，「今からあなたの質問に答えます」という文を入れる。これも，以下のような例から1つ選んで決めておくとよい。

　I'll try to answer your questions. / Let me answer your questions. / I wrote my opinions about your questions. / You've asked interesting questions.

● **最初の質問への返答**

　最初の質問への書き出しは，First, ... / To begin with, ... などの表現で始める。文章の書き出しに悩んでしまい，思わぬ時間を費やしてしまうことがあるが，文学的な趣のある文章は求められていないので，なるべくストレートに要点を述べた方がよい。したがって，余計な前置きなどは必要なく，最初に述べる話題には「まず」という言葉があれば十分である。

　この後は，「質問に的確に答える」で学習したとおり，質問に対する簡潔な事実の記述と，それに続く補足的な情報を連ねればよい。まれに，出題の中には，社会的，文化的事実についての質問がなく，最初から意見を尋ねる質問が始まり，3つの質問すべてが意見を問う質問であることもある。このような場合でも，もちろん，書き出しの言葉を変更する必要はない。

● **2番目以降の質問への返答**

　次の質問へ話題を変えたいときは，Speaking of... / As for... などの表現を使って話題の変更を明示する。与えられた質問の性質上，一貫した話題で解答を作成できることもあるが，話題をかなり異なるものに変えることが必要になる場合には，話題が変わることを表す言葉を入れると，話題の転換が明白になる。

　または，単純に段落を変えて，次の質問の返答をいきなり書いても構わない。特に英語の文章は，1つのパラグラフには1つのトピックしか入れないという原則が日本語の場合より厳しく守られているので，単にパラグラフを変えるだけで話題が変換したことを示すことができる。

● **効果的なつなぎ言葉**

　上記の話題を変える言葉に関連し，以下に文同士や段落同士のつながりをスムーズにするための効果的なつなぎ言葉を挙げる。文頭に来ることが多いものは大文字で提示する。

(1) 列挙・順序
First [Second / Third / Finally], / First of all, / To begin with, / Last but not least, / First and foremost, など

(2) 追加
Moreover, / Furthermore, / Besides, / In addition, など

(3) 例示
For example [instance], / To give an example, / such as... など

(4) 結果・因果関係
so / Therefore, / As a result, / Consequently, / Accordingly, / Thus, /

Hence, など
(5) 逆接
However, / Nevertheless, / On the contrary, / In contrast, / whereas / Even though... / On the other hand, など
(6) 話題の転換
By the way, / Speaking [Talking] of... / Regarding... / Concerning... / As for... など

ただし，文と文との論理的なつながりが明らかな場合は，つなぎ言葉は使わなくてもよい。日本語と比較すると，英語は接続詞を使わずに論理展開をすることが多い。文同士の論理的つながりが明白な場合には接続詞を入れる必要がないのである。つながりをより明白にしたい場合にだけ適切な接続詞を使うようにするとよい。

● **結びの言葉**

名前の前に入れる結びの語句や文は，手紙やメールの定型となっている語句を入れてもよいし，友達同士のメールという設定なので，「またね」のような文を書いてもよい。以下に，定型の語句と短文の例を挙げる。結びの言葉も，あいさつ同様にあらかじめ決めておくとよい。定型句か短文のどちらか一方を入れること。

定型の語句：
(1) フォーマルな場合：
Sincerely yours [Yours sincerely], / Faithfully yours, / Truly yours, など
(2) インフォーマルな場合：
Sincerely, / (With) Best wishes, / Best regards, / Yours, / Love, など

そのほかの文例：
Take care. / Write again soon. / I'll look forward to your next e-mail. / Bye for now. / Talk to you later. / I hope [Hope] this helps.（何か相手のためになることをしたときのみ）など

最後に，通常はメールの最後に自分の名前を入れるが，英検ではメールの受取人になったつもりで返信をすることになっているので，名前は出題文の最初にある名前とする。

トレーニング

問1 次の英文を読み，(　　) に入れるのに最も適切な語を下から選びなさい。ただし，文のはじめに来るべき語も小文字になっている。

I'm doing well. I'm not sure how well I can answer your questions, but I'll do my best.

Particularly in metropolitan areas, parents want their children to go to good private junior high schools and even elementary schools. It is not always possible, (　**1**　), to pass the entrance examinations for these schools without extra study in cram schools.

I think it is awful, but some children may need to study in cram schools. Although the number of children who want to go to these schools has increased in the past 20 years, the number of good private schools has not increased. (　**2**　), children today have to study even harder to get through a much narrower gate.

If you have any more questions, please write to me again.

| consequently | definitely | finally |
| furthermore | however | whereas |

問 2 次の **(1)** から **(5)** までの各文を，意味の通る１つの段落になるように並べ替えなさい。

(1) As for my opinion about smoking in public places, I believe smoking should be banned, because non-smokers do not want to breathe someone else's unhealthy smoke.
(2) Smoking is banned at many public facilities in Japan, such as in public transportation facilities, restaurants and department stores.
(3) Concerning taking action to decrease the number of smokers, we should raise taxes on cigarettes and use the tax money for advertising and educational programs to convince people not to smoke.
(4) However, we can sometimes find designated smoking areas in certain places.
(5) It is only fair that smokers smoke away from non-smokers.

解答と解説

解答

問1 (1) however　　(2) Consequently

問2 (2) → (4) → (1) → (5) → (3)

解説

問1

(1) 「親は優れた学校に子どもを入れたい → 特別な勉強をしないと入れない」という論理展開にするためには，逆接のつなぎ言葉が最適である。

(2) それまでの具体的な議論を受けてまとめの役割を果たすものを選ぶ。因果関係を表すつなぎ言葉は多くあるので，さまざまな場面で使い分けられるようにしよう。

問2

　①事実の描写 → ②自分の意見 → ③意見のサポートという順に並べる。**(2)** と **(4)** は自分の意見を述べる前の一般的な話題，**(4)** は文頭に However, があるため，前の文を受けて書かれたものだとわかる。次にくる「自分の意見」は I believe というフレーズがあるとおり **(1)** だが，前の文と話題がやや転換していることを示す As for... が文頭に挿入されていることにも注意しよう。この「公共の場所では禁煙にすべき。非喫煙者が煙を吸わないようにすべき」という意見を受け，「非喫煙者の近くにタバコを吸う人がいるべきではない」という **(5)** の記述が根拠としてつながる。最後に，Concerning...（…に関して言えば）のつく文で，「では禁煙を徹底するにはどうするか」という議論で締めくくられている。

　英検準1級の場合は，質問された順に文章を構成していけばよいので，とくに上記の①～③を意識せずに解答を作成できるが，適当なつなぎ言葉を使用して，文章の流れをつける工夫が必要である。

全訳

問1

元気にしています。どのくらいうまく答えられるかわかりませんが，最善を尽くします。

特に大都市圏では，親が良い私立中学校，さらに小学校にさえも子どもを行かせたいと考えています。しかし，塾での特別な勉強をせずに，そのような学校の入試に受かることは必ずしも可能ではありません。

大変なことだとは思いますが，塾で勉強する必要がある子もいるのです。ここ20年ぐらいで，このような学校に入りたいと思っている子どもの数は増えていますが，良い私立学校の数は増えていません。ですから，今日の子どもたちは以前よりさらに狭き門をくぐるために，もっと熱心に勉強しなければならないのです。

もし，もっと質問があったら，また連絡をください。

問2

(1) 公共の場での喫煙に対する私の意見だが，喫煙をしない人は他人の不健康な煙を吸いたくはないので，喫煙は禁止されるべきだと思う。

(2) 日本では公共交通機関，レストラン，デパートなど多くの公共の施設で禁煙になっている。

(3) 喫煙者の数を減らす行動を起こすことについては，タバコの税金を高くし，その税金を人々がタバコを吸わないようにするための広告や教育プログラムに使うべきだ。

(4) しかし，ある場所では指定された喫煙所をときどき見つけることができる。

(5) 喫煙者はタバコを吸わない人から離れて喫煙するというのが真に公平である。

実践問題

- Read the e-mail below.
- Imagine that you are Kenichi. Write an appropriate response to Kelly in the space provided on Side B of your answer sheet.
- Your response should be around 100 words in length.

E-MAIL

Dear Kenichi,

How are you doing? I've just become engaged to Justin, my boyfriend. We are very excited. He's 26 years old, the same age as me.

The other day, I read an interesting magazine article that said Japanese people tend to get married at a later age these days. I'm interested in your opinion. Why do you think this is happening?

The article also said that many people in Japan use the Internet to meet their friends or future life partners. What do you think about this?

It makes me wonder if relationships in Japan are becoming more superficial these days. Do you think this is true?

I'm looking forward to hearing from you.

Kelly

解答と解説

解答例

Dear Kelly,

Thanks for your e-mail. First of all, congratulations! That's wonderful news.

To answer your question, I think many people tend to get married later in Japan because they want to enjoy the freedom to do what they want and pursue their careers before they settle down.

Regarding your second question, I think that meeting people over the Internet can be dangerous. By doing that, you are more likely to meet people whom you do not know very well. You may have a higher possibility to meet evil people and get involved in crimes.

As for your question about relationships, I don't think that people's relationships have become shallow. Thanks to the development of information technology, we are able to communicate more with friends and family members who live far away and with whom we would probably fall out of touch.

Write again soon.

Kenichi

解説

　質問のポイントは①どうして日本では結婚年齢が高齢化しているのか，②日本で友人や結婚相手にインターネットで出会うことが増えていることについてどう思うか，③日本人の人間関係が表面的になっていると思うか，という3点である。①は若者が結婚よりも自由に生活することを望んでいることと，結婚よりも仕事の充実を求めているという2つの理由を挙げており，情報量と根拠の質の面で十分な解答である。②については，その危険性に簡潔に言及した後，なぜ危険なのか，その根拠を述べた解答をしている。③は情報技術の発達により，家族や友人とより交流ができるようになるとしながら，Kellyの持つ印象に反対する意見をまとめている。

　話題が変わるごとに，"To answer your question", "Regarding your second question", "As for your question about relationships," のように，的確なつなぎ言葉を使用していることに注意。"First", "Second", "Third [Finally]" のような単純な副詞でもよいが，Regarding..., や As for... などもぜひ使ってみてほしい。

問題文の訳

健一君，

お元気ですか。私，恋人のジャスティンと婚約しました。2人ともすごくワクワクしています。ジャスティンは26歳で，私と同い年なんですよ。

この間，面白い雑誌の記事を読んだのですけど，最近の日本人は結婚するのが遅くなっている傾向にあるんですってね。健一君の意見を聞きたいのですが，どうしてこのようなことが起こっているのだと思いますか。

その記事には，日本では多くの人が友達や将来のパートナーに出会うためにインターネットを使うとも書いてありました。これについて，健一君はどう思いますか。それで，私は日本の人間関係が最近は前より表面的になっているのではないかと思うのですけど，その通りだと思いますか。

お返事待っています。

　　　　　　　　　　　　　　　　　　　　　　　　　　　　　　　ケリーより

CHAPTER 4
リスニング問題

リスニング問題の形式 …… **180**
リスニング問題の傾向 …… **186**
リスニング問題に必要な力 …… **192**
実践問題 …………………… **251**

リスニング問題の形式

PART1 会話の内容一致選択問題

- 出題数　　　12問
- 配　点　　　各1点
- 解答時間　　10秒
- 会話の語数　60～100語

形式
男女2人のダイアローグ（会話）を聞き，その内容に関する質問の答えを4つの選択肢から選ぶ

出題のねらい
口語表現を含むダイアローグを聞き取る力を問う

テスト紙面

Part 1

No. 1
1. They should try to work less.
2. They will not get a dog for now.
3. They need to choose a different pet.
4. They can ask the woman's parents to help.

No. 2
1. The man enjoys what he is doing now.
2. The man would prefer a different job.
3. The woman has started her own company.
4. The woman is unhappy with her life.

No. 3
1. Help organize the reception.
2. Arrange a private ceremony.

音声スクリプト

★No. 1
★★: So, honey, what do you think about getting a puppy? A Labrador sounds like a good choice. They're cute and very loyal.
☆: But we're always either working or away on vacation. I don't think it would be fair to the dog. Besides, I have enough cleaning to do as it is.
★★: Couldn't your mother take care of it while we're away on trips?
☆: Well, she's already got her hands full with my dad. It would be nice to have a dog, but not while we're so busy.
★★: I guess you're right. Maybe when work settles down we can talk about it again.
★Question: What do these people conclude?

★★No. 2
☆☆: Lewis. You made it!
★: Yes, I wouldn't have missed this high school reunion for the world. It's so nice to see you. How've you been, Beth?
☆☆: Very well, thanks. I have three kids now, and I'm a branch manager for the National Bank.
★: How do you manage everything?
☆☆: It's not easy! How about you? I hear you've started your own media promotion company.
★: That's right. I work twice as hard, but I enjoy being my own boss.
☆☆: The work must be fulfilling but tiring at the same time!
★: Yeah, but I think it's worth it.

PART2 文章の内容一致選択問題

- 出題数　　　　6題（12問）
- 配　点　　　　各1点
- 解答時間　　　10秒
- 文章の語数　　130〜150語

形式

あるテーマに関する文章（パッセージ）を聞き，その内容に関する質問の答えを4つの選択肢から選ぶ

出題のねらい

幅広い分野におけるテーマ性のあるパッセージを聞き取る力を問う

テスト紙面

Part 2

(A) *No. 13*
1 They started to make videos of their own.
2 Many of them changed their methods.
3 They became more respected in their villages.
4 Many developed their own techniques.

No. 14
1 Videos are presented by village elders.
2 Videos are less time-consuming.
3 Videos are watched by more people.
4 Videos are often viewed repeatedly.

音声スクリプト

★(A) On-screen Farming

★Much of the farming in Africa is done by women. A major barrier to helping these women improve farming techniques is the difficulty of spreading information effectively. In the past, when outside experts gave in-person workshops to selected villages, only 20 percent of women farmers actually adopted the new practices. In a recent trial in Benin, however, a video was used to show new rice processing techniques. After watching other women farmers use the new methods on the video, over 70 percent of local female farm workers adopted them.

So why does video work so well? Unlike workshops, which are often attended only by village elders, the videos create a lot of interest among villagers and are usually viewed by everyone. Equally important, the videos feature other female farmers explaining the techniques. Not only do local women trust these presenters more, they also find their explanations easier to understand.

☆Questions
☆No. 13 What effect did the trial in Benin have on female farmers?
☆No. 14 What is one reason videos work better than workshops?

☆☆(B) U.S. Town Builds Channel

☆☆Many U.S. towns along the Mexican border are taking steps to prevent people from entering the U.S. without permission. The town of Yuma, in western Arizona, has come up with an unusual solution. Authorities plan to dig a two-mile-long, sixty-foot-wide security trench and fill it with water. The soil from the trench will be used to build a raised bank from which to patrol the border. Environmentalists and landowners alike prefer this idea to a

PART3 Real-Life 形式の内容一致選択問題

- 出題数　　　5問
- 配　点　　　各2点
- 解答時間　　10秒
- 文章の語数　90〜110語

形式

状況と質問を読んだ上で効果音入りの文章を聞き，状況に合った答えを4つの選択肢から選ぶ

出題のねらい

必要とする情報を事前に把握し，実生活に即した情報を聞き取る力を問う

> テスト紙面

Part 3

(G) **No. 25**　*Situation* : You hear this announcement at work about a fire drill. You work on the third floor of the building.
　　　　　　　　Question : Which way should you exit the building?

　　　　1　Out through the parking area.
　　　　2　By the south exit on the first floor.
　　　　3　Via any exit to the front lawn.
　　　　4　Down the stairs on the north side.

> 音声スクリプト

> Finally, here are the directions for **Part 3**. In this part, you will hear five passages, (G) through (K). The passages represent real-life situations and may contain sound effects. Each passage will have one question, No. 25 through No. 29. Before each passage, you will have 10 seconds to read the situation and question written in your test booklet. After you hear the passage, you will have 10 seconds to choose the best answer and mark your answer on your answer sheet. The passage will be given only once. Now, let's begin.

☆　G. You have 10 seconds to read the situation and Question No. 25.
★Attention all employees. The fire drill is scheduled for 11 a.m. today. When the alarm sounds, head toward your section's designated exit. Employees on the first floor should meet at the first floor south exit and follow your manager to the parking area. Those working on the second and third floors should go to the emergency stairs on the north side of the building. Proceed down the stairs and gather on the front lawn. Managers, don't forget to do a head count after staff have gathered outside the building.
☆Now mark your answer on your answer sheet.

★★　H. You have 10 seconds to read the situation and Question No. 26.

リスニング問題の傾向

PART1 会話の内容一致選択問題

●出題されるダイアローグの種類

- Ⓐ 友人や家族の日常会話……
- Ⓑ ビジネス上の会話…………
- Ⓒ さまざまな施設での会話（他人同士）
- Ⓓ 学校での会話………………

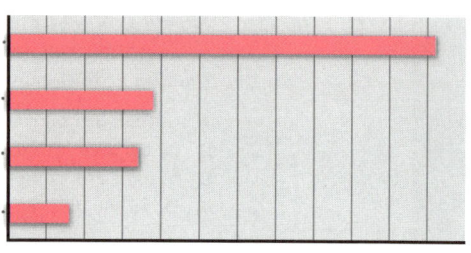

0%　5%　10%　15%　20%　25%　30%　35%　40%　45%　50%　55%　60%

●問われる内容

- Ⓐ 話者に関する情報を問う質問
- Ⓑ 話者の意図や会話の状況を推測させる質問
- Ⓒ 会話の後の状況を推測させる質問
- Ⓓ 原因・理由を問う質問
- Ⓔ 話者の意思決定に関する質問
- Ⓕ 話者の申し出・提案に関する質問
- Ⓖ その他（要点や問題点を問う質問）

- **Ⓖ** その他（要点や問題点を問う質問）15%
- **Ⓐ** 話者に関する情報を問う質問 17%
- **Ⓑ** 話者の意図や会話の状況を推測させる質問 17%
- **Ⓕ** 話者の申し出・提案に関する質問 10%
- **Ⓔ** 話者の意思決定に関する質問 10%
- **Ⓓ** 原因・理由を問う質問 15%
- **Ⓒ** 会話の後の状況を推測させる質問 16%

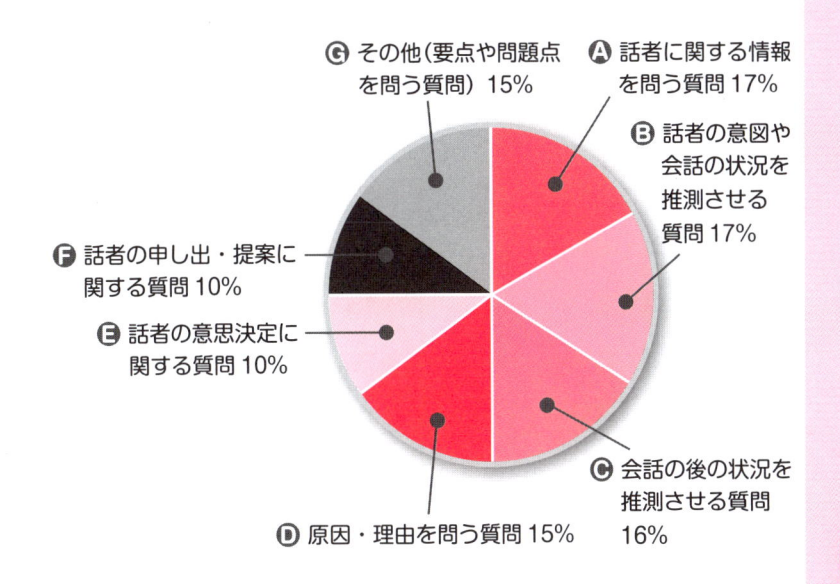

傾向と分析

　準1級のダイアローグ問題では，友人や家族の間の日常会話が約半数を占める。口語表現を多く含む，親しい人同士のくだけた会話に慣れることが重要である。そのほか，同僚同士もしくは上司と部下とのビジネス上の会話や，さまざまな施設における店員・係員・受付と客との会話も多い。

　質問で問われる内容としては，話者に関する情報，話者の意図，会話のなされている状況もしくはその後の状況を問うものなどが，ほぼ同じ割合で出題される。しかし，選択肢の形（動詞句か文か）や選択肢中のキーワードから，質問のパターンをある程度予測することができる。

（2005年度第3回～2009年度第3回のテストを旺文社で独自に分析しました）

PART2 文章の内容一致選択問題

●出題されるパッセージのジャンル

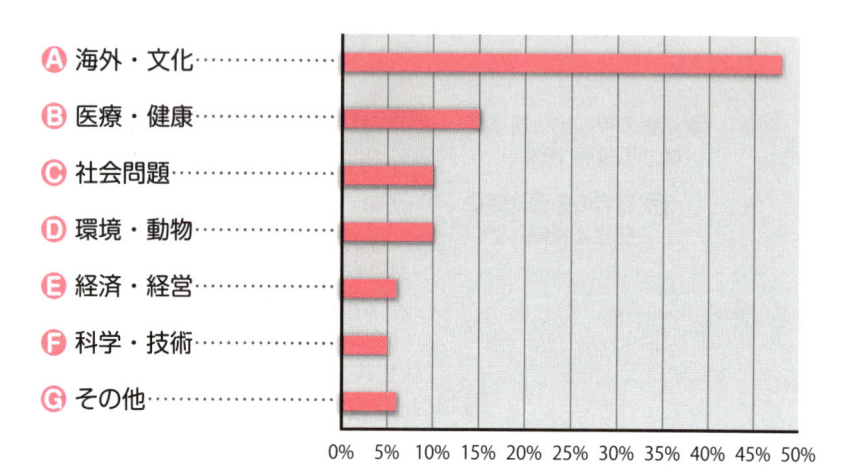

- Ⓐ 海外・文化
- Ⓑ 医療・健康
- Ⓒ 社会問題
- Ⓓ 環境・動物
- Ⓔ 経済・経営
- Ⓕ 科学・技術
- Ⓖ その他

0% 5% 10% 15% 20% 25% 30% 35% 40% 45% 50%

●問われる内容

- Ⓐ 部分・詳細を問う質問
- Ⓑ 理由・根拠・プロセスを問う質問
- Ⓒ 全体主旨・結論を問う質問

ⓒ 全体主旨・結論を問う質問 11%

Ⓑ 理由・根拠・
プロセスを問う
質問 19%

Ⓐ 部分・詳細を問う質問
70%

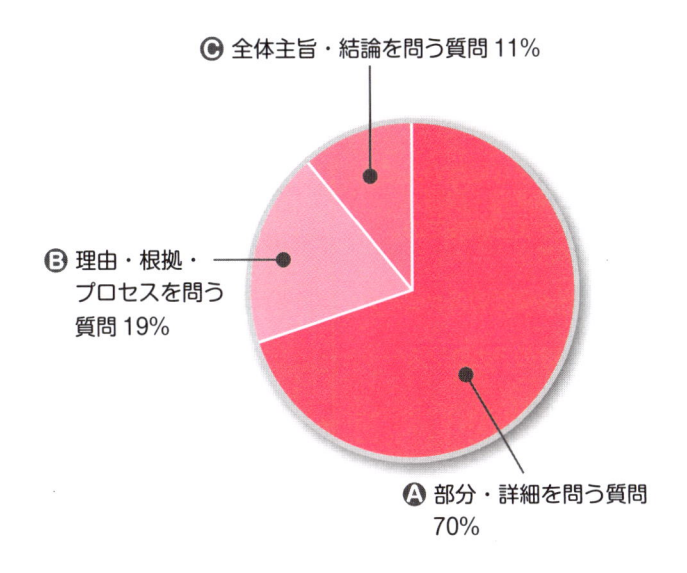

傾向と分析

　パッセージの内容は，海外での出来事や文化をテーマとしたものが約半数を占める。日本ではまだ行われていない取り組みやサービスなど，興味深い内容も多いので，関心を持って楽しみながら聞き取りをしたい。そのほか，医療や社会問題，環境に関するパッセージが続くが，科学や技術に関するものは意外と少ない。

　質問の内容は，「部分・詳細を問う質問」，「理由・根拠・プロセスを問う質問」，「全体主旨・結論を問う質問」の 3 つに大別できるが，出題数は「部分・詳細を問う質問」が圧倒的に多い。つまり，全体的な流れがつかめなかったとしても，該当する部分を聞き取れていれば解答できる設問が多い，ということである。

（2005年度第 3 回〜2009年度第 3 回のテストを旺文社で独自に分析しました）

PART3 Real-Life 形式の内容一致選択問題

●出題される文章の種類

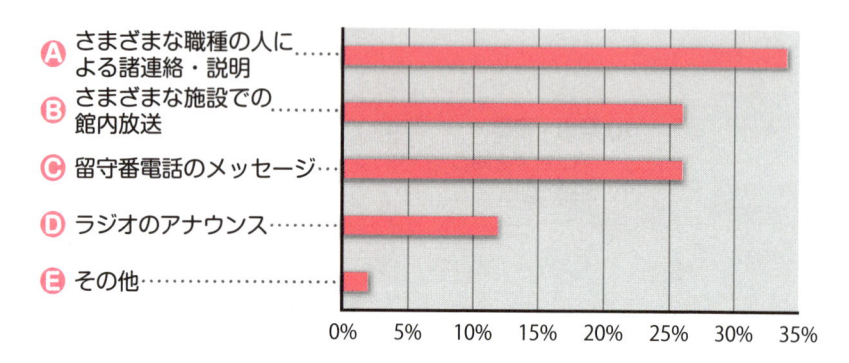

- A さまざまな職種の人による諸連絡・説明 … 約34%
- B さまざまな施設での館内放送 … 約26%
- C 留守番電話のメッセージ … 約26%
- D ラジオのアナウンス … 約12%
- E その他 … 約2%

傾向と分析

「諸連絡・説明」には，イベント主催者から参加者へ，教授から学生へ，ツアーガイドから観光客へなど，さまざまな場面が含まれる。「館内放送」は，デパート，空港，美術館などのさまざまな施設で放送されるもので，不特定多数の人へ向けた内容であることが多い。「留守番電話のメッセージ」には主に，友人や家族が「あなた」の電話に吹き込んだ録音メッセージと，企業の自動応答メッセージとの2種類がある。「ラジオのアナウンス」は，天候や通行止めの情報を含む道路交通情報や，イベントの宣伝とその申し込み方法，といった内容が多い。

質問は，紙面に与えられた状況と放送された英文の内容を踏まえた上で，「あなたは何をするべきか」を問うものが大半を占める。必要となる情報を選び出し，そのほかの不必要な情報に惑わされないようにすることが聞き取りのポイントとなる。

(2005年度第3回〜2009年度第3回のテストを旺文社で独自に分析しました)

リスニング問題を解くために必要な力

❶ 英文の大まかな内容と流れをつかむ力

❶-1：選択肢を先読みして内容と質問を予測する

英検準1級レベルでは，話されている内容や語彙などが難しく，何の心づもりもなく聞くと，その速さと難しさに圧倒されてしまうことがある。しかし，設問形式にはある一定のパターンがあり，選択肢を先読みし，内容と質問を予測することができれば，正解にたどり着く可能性がアップする。特に，Part 1 においては，典型的な設問パターンが多く，それらを念頭に置いて，内容を予測しながら聞き取りを進める力が重要になってくる。

❶-2：導入部分から主題をつかむ

英語のパラグラフには，主題文 → サポート文 → 結論という一般的な構成が存在しており，論説文などはこれに基づいて書かれている。つまり，文章の冒頭に注意すれば主題をつかむことができる可能性が高い。英検準1級の Part 2 は論説文形式であり，特に導入部分に焦点を絞って主題をつかむ力を獲得すれば，その文章全体の流れをつかむことができる。

❶-3：典型的な話の展開を知り，予想しながら聞く

上記の論説文に限らず，英語には典型的な話の展開方法があり，その展開に慣れていると，話の流れを予測でき，内容把握も容易になる。特に Part 3 の聞き取りでは，さまざまな話の展開方法に習熟し，その話がどのように進んでいくのかを予想しながら聞く力が必要となってくる。

❶-4：話の展開を示す言葉を聞き取る

英検準1級では，聞き取りの内容も高度になってくるために，その論

理展開を追うことが難しくなってくる。しかし，話の展開を示す言葉を道しるべにしながらその流れを追えば，大まかな内容をつかむことができる。特に，Part 2 の論説文の聞き取りでは，対照・逆接のつなぎ言葉に焦点を絞り，話の論理展開を追う力を養成しておく必要がある。

❷ 内容の理解を深める力

❷-1：話の最後に注意する

英検準1級レベルでは，その速さと内容の難しさのため，導入部分が聞き取れないと集中力が途切れてしまうことがある。しかし，Part 1 の会話問題では特に会話の最後の部分に話者の意図や決断などが述べられることが多く，最後まで集中力を途切らせず聞き通す力が必要になってくる。

❷-2：特定の情報（5W1H）に注意する

内容の理解を深めるためには，特定情報（when, where, why, who, what, how）に注意を集中させる必要がある。特に Part 3 の Real-Life 形式の問題では，when, where, what などの情報が問われることが多く，これらの特定情報に注意しながら聞き取りを進める力の養成が必須である。

❷-3：言い換え表現に注意する

英検準1級レベルでは，本文中に使われた表現がそのまま選択肢の中で使われるということはほとんどなく，本文中のキーワードなどが言い換えられていることが圧倒的に多い。これらの言い換え表現を聞き取って理解する能力がすべての Part で必要不可欠である。

❷-4：因果関係に注意する

Part 2 の論説文では，どのようなことが起こったのかという詳細事実を問う問題と，なぜ，どのようにそれが起こったのか，という因果関係を問う問題が圧倒的に多い。つまり，原因 → 結果の流れをつかむ力が内容理解を深めるためには非常に重要になってくるのである。

1-1 英文の大まかな内容と流れをつかむ①
選択肢を先読みして内容と質問を予測する

　放送される文章の大まかな内容と流れをつかむ上で大切なことの1つは，聞く前に選択肢に目を通し，どのような内容が話されるかを予測することである。特にPart 1では，質問のパターンもある程度限られているので，どのような問われ方が多いのかを把握して選択肢に目を通すと効果的である。

1 Part 1 にみる典型的な質問パターン

パターン①：次の**1**～**3**の質問パターンでは，選択肢は動詞句で提示されることが多い。つまり，選択肢が動詞句であれば，次の**1**～**3**の質問パターンが来る確率が高いということである。

> **選択肢の形　動詞句**
> 1　Finish his proposal tomorrow.
> 2　Invite his sister to a movie.
> 3　Cancel his business trip.
> 4　Go to his brother's house.

1　会話の後の状況・行動を推測させるパターン

What will the man probably do?（男性はおそらく何をするだろうか）
What will the woman do next?（女性は次に何をするだろうか）

2　話者の申し出・提案に関するパターン

What does the woman advise the man to do?
（女性は男性に何をするように助言しているか）

What does the woman suggest that the man do?
（女性は男性に何をすることを提案しているか）

3　話者の意思決定に関するパターン

What does the man decide to do?（男性は何をすることに決めたか）
What does the man agree to do?（男性は何をすることに同意したか）

パターン②：一方，選択肢が文であれば，次の**4**～**6**の質問パターンが来ることが多い。

> **選択肢の形　文**
> 1　He will have little free time.
> 2　He will have to find a roommate.
> 3　He will need a part-time job.
> 4　He will live with Mary's cousin.

4 話者の意図・意見を問うパターン

What does the man imply?（男性は何をほのめかしているか）
What does the woman say?（女性は何と言っているか）

5 原因・理由を問うパターン

Why did Matt not get the job?
（なぜマットはその仕事を得られなかったのか）

> なぜできなかったのか，なぜ心配しているのか，など否定的な状況に関する質問が多い

Why is the woman worried about David?
（なぜ女性はデイビッドについて心配しているのか）

6 問題点を問うパターン

What is the problem?（問題は何か）

2 会話問題の具体例

まずは選択肢にざっと目を通す。

1 Order the coat he wants.
2 Keep shopping around.
3 Take the gray coat.
4 Try on a different style.

> 動詞句なので，質問は，話者の提案やその後の行動を問うものであると予測

> Order the coat, shopping, different style などから，コートを買おうとしているのではないかと予測

例題

W : Can I help you with something, sir?
M : Yes. I'm looking for a winter coat.
W : Well, this style here is popular this year.
M : I like the design, but not the color. Does it come in dark green?
W : It does, but we only have brown and grey in stock.
M : Well, thanks anyway. I'll try another store.
W : I can order one from our warehouse.
M : How long will it take?
W : About a week.
M : OK. That's fine.
Question : What will the man do?

(2009-1)

　選択肢が動詞句なので，質問は話者の提案やその後の行動を問うものではないかと予測できる。また，選択肢のキーワードから，コートを買おうとしている状況ではないかと予測できる。質問文を聞いてみると，やはり男性のその後の行動を問うものであった。下線部から，男性は倉庫からの取り寄せに同意していることがわかるので，答えは選択肢 1 に絞られる。

トレーニング

英文を聞いて，質問に答えなさい。

Part 1

No.1
1. Take the day off work.
2. Call her client to her house.
3. Take a taxi to her office.
4. Take a later train.

No.2
1. He grew up in Hawaii.
2. He loves to go surfing.
3. He is going on holiday.
4. He has never been abroad.

解答と解説

No.1

スクリプト

W : Oh, no. Look at the time! I'll never make my train.
M : Shall I call a cab? That would get you there in plenty of time.
W : You must be joking. It'd cost a fortune.
M : Take the day off, then. I'll call in and say you're sick.
W : I can't. I have a really important meeting. I guess I have no choice.
M : OK, I'll get on the phone for you.
Question : What does the woman decide to do?

全訳

W：えっ。こんな時間！　絶対電車に間に合わないわ。
M：タクシーを呼ぼうか。そうすれば十分間に合うよ。
W：冗談でしょう。お金がかかりすぎるわ。
M：それなら，休みを取りなよ。具合が悪いって電話してあげるから。
W：だめよ。とても大事なミーティングがあるの。この際，仕方ないわね。
M：わかった，電話をかけるね。

No.1 ▶質問：女性はどうすることに決めたか。

選択肢
1　仕事を休む。
2　クライアントを家に呼ぶ。
3　タクシーでオフィスに行く。
4　後の電車に乗る。

解説　選択肢が動詞句で提示されているので，質問は，話者の意思決定，提案，その後の行動に関するものではないかと予測しながら聞く。質問を聞いてみると，やはり女性の意思決定に関する質問である。女性の3番目のせりふに I have a really important meeting. I guess I have no choice. とあり，女性が会社を休むことができない状況であり，タクシーを呼ぶ以外に選択肢がないことがわかる。　**解答　3**

No.2

スクリプト

M : Hey, Jane. Do you have any plans for the holidays?
W : Yeah, we're all going to Hawaii.
M : Hawaii! That sure brings back memories. Have you ever been before?

W : No, never. The boys want to go. They love surfing. What's it like?
M : I don't know now. I left when I was 18. But it sure was a great place to be a child.
W : I can imagine. You should go back sometime.
Question: What do we learn about the man?

全訳
M：やあ，ジェーン。休暇の予定は？
W：ええ，みんなでハワイに行くのよ。
M：ハワイか！ 懐かしいな。これまでに行ったことはあるの？
W：いいえ，一度も。息子たちが行きたがっているの。サーフィンが大好きなのよ。どんなところ？
M：今はわからないな。18 のときに出てきたから。でも，子どもにとっては確かに最高の場所だったよ。
W：そうでしょうね。あなたもいつか帰ってみるべきよ。

No.2 ▶ 質問：男性について何がわかるか。
選択肢
1 彼はハワイで育った。
2 彼はサーフィンをしに行くのが好きだ。
3 彼は休暇を取る予定だ。
4 彼は外国に行ったことがない。

解説 選択肢の Hawaii, go surfing, on holiday などのキーワードから，会話の内容がハワイや夏の休暇の過ごし方に関するものではないかと予測して聞くとよい。男性の 2 番目のせりふの That sure brings back memories. や，3 番目のせりふの I left when I was 18. から，男性が 18 歳までハワイに住んでいたことが推察される。また，女性の最後のせりふ You should go back sometime. からも，男性が以前ハワイに住んでいたことは明らかである。

解答 1

❶-2 英文の大まかな内容と流れをつかむ②
導入部分から主題をつかむ

1つのテーマに関するまとまった英語の文章（論説文）の聞き取りでは，その導入部分に注意することが重要である。英語の論説文では，冒頭にメイン・アイディアが置かれ，これから述べる文章の主題を提示することが多いからだ。その後，その主題をサポートする具体例や理由が述べられる。ここでは，Part 2 に見られる典型的な論説文を例に，聞き取りのポイントを示す。

1 Part 2 にみる典型的な論説文の構造

例題

Sweet Dreams?

<u>According to a study by Boris Stuck and his team from Germany's University of Mannheim, smells can influence dreams.</u> The team exposed 15 healthy female volunteers to a variety of smells during sleep. Women were selected because their sense of smell is superior to that of men. Smells were sent through tubes into the subjects' nostrils when their brain activity showed that they were dreaming. Subjects reported bad dreams when they were exposed to the smell of rotten eggs. The scent of roses stimulated positive dreams. Interestingly, the subjects said they never smelled the odors in their dreams.

There is a well-known connection between our sense of smell and the brain's limbic system, which controls emotions. <u>It was already widely accepted that smells play a significant role in our emotions when we are awake, and Stuck's study confirms the prediction that they would do the same while we are asleep.</u>

(2009-1)

タイトル：
大まかな主題（夢）を提示

メイン・アイディア：
「においが夢の内容に影響することがある」
→主題を提示

サポート文：
「嫌なにおいをかいだときは悪い夢を見て，良い香りをかいだときは前向きな夢を見た」
→実験結果を説明し，メイン・アイディアの内容を支持

結論：
メイン・アイディアの内容を言い換え，主題を確認

2 論説文の聞き取り

1 タイトルから内容を推測する

聞き逃しがちなタイトルは，聞き取りの際に重要なヒントとなりうる。まずタイトルをしっかりと聞き，そこから英文の内容を大まかに推測する。例題では，Sweet Dreams? から，夢に関する英文が放送されると推測する。

2 導入部分を聞いて主題を押さえる

Part 2 の論説文では，導入部分にメイン・アイディアが置かれることが多い。冒頭を注意して聞き，文章の主題をつかみたい。例題では，においが夢の内容に影響を与えることがあると述べられている。これがこの英文の主題である。これを念頭に聞き取りを進める。

3 主題に関する詳細を把握する

メイン・アイディア以下には，その主題を支持する具体的な理由，例，データなどが述べられる。これらはサポート文（supporting details）と呼ばれる。特に例題のような科学に関する論説文では，実際の実験内容とその結果が報告されることが多い。ここでは，「嫌なにおいをかいだときは悪い夢を見て，良い香りをかいだときは前向きな夢を見た」という実験結果が報告され，冒頭のメイン・アイディアの内容を支持している。

4 結論で主題を確認する

論説文では，文章の最後でメイン・アイディアの内容をもう一度言い換えて主題を確認することがあり，例題でもそのようになっている。ただし，このような言い換えは省略されることも多い。

このように Part 2 の論説文は，冒頭のタイトルとメイン・アイディアを聞き取ることでその主題をつかむことができる。主題をつかんだ上でそれを念頭に置いて放送を聞けば，聞き取りがスムーズになる。

また，Part 2 の質問パターンは，研究成果や新しい発見，情報などの具体的な事実を問うもの（what）と，なぜそうなったのか，どのようにしてそれが起きたのか，といった因果関係を問うもの（why, how）がほとんどである。メイン・アイディアで事実をつかみ，それ以降のサポート文の部分では，それが「なぜ」，「どのように」起きたのか，という因果関係に焦点を絞って聞き取りを進めるとよい。

トレーニング

英文を聞いて，質問に答えなさい。

Part 2

(A)

No.1
1. To test the driving skills of average university students.
2. To measure the ability of drivers to use new technology.
3. To discover how quickly young people react to accidents.
4. To find out how dangerous it is to use a cell phone when driving.

No.2
1. They were able to learn new skills using a cell phone.
2. They skillfully performed two tasks at the same time.
3. Their driving improved when they concentrated.
4. Their results got worse during the study.

(B)

No.3
1. They should have expected the eruption.
2. They overreacted to the danger.
3. They allowed an airplane to crash.
4. They have not learnt from experience.

No.4
1. An airplane crashed into a volcano.
2. Airplane windshields were melted by an eruption.
3. Pilots experienced a lack of visibility in a volcanic cloud.
4. Volcanic ash prevented an airplane's engines from working.

解答と解説

(A) Talking while Driving

スクリプト

After cell phones were developed, many people began using them while driving. This practice has been linked to accidents and in many places it is banned. But how dangerous is it? A study carried out at the University of Utah has come up with some interesting results.

In the study, 200 students were asked to carry out tasks on a cell phone while taking part in a simulated driving test. As expected, most students found it difficult to do both tasks at the same time. 2.5 percent of the subjects, though, turned out to be able to do two tasks just as well as one. Some, surprisingly, performed even better when doing so. Although the study shows that for most people talking and driving are dangerous, it suggests that people may eventually be able to learn how to do two or more tasks at the same time.

Questions

No.1 What was the aim of the study at the University of Utah?

No.2 How did a small percentage of students differ from the majority?

全訳　運転中の通話

携帯電話が開発され，多くの人が運転中に携帯電話を使うようになった。この行為は事故につながっており，多くの場所で禁止されている。しかし，この行為はどのくらい危険なのだろうか。ユタ大学で行われた調査で，興味深い結果が出た。

調査では，200人の学生が，運転シミュレーションテストに参加しながら携帯電話で作業を実行するよう求められた。予想通り，ほとんどの学生が両方の作業を同時に行うのを困難に感じた。しかし，被験者の2.5％は，1つの作業を行うのと同じくらいうまく2つの作業を行えることがわかった。驚いたことに，両方同時に行っているときの方が，かえって作業をうまくこなした者もいた。この調査は，ほとんどの人にとって通話しながらの運転は危険だと示しているが，人はいずれ，2つかそれ以上の作業を同時に行うことを習得できるかもしれないということも示唆している。

No.1 ▶質問：ユタ大学での調査の目的は何だったか。

選択肢
1. 平均的な大学生の運転技術をテストすること。
2. 運転者の新しい技術を使う能力を測定すること。
3. 若者がどのくらい速く事故に反応できるかを知ること。

4　運転中の携帯電話の使用がどのくらい危険かを調べること。

解説　第1段落第3, 4文に But how dangerous is it? A study carried out at the University of Utah has come up with some interesting results. とあり，ユタ大学で行われた調査の目的が，携帯電話を運転中に使うことの危険性を検証することであったとわかる。論説文ではこのように，冒頭でその文章全体の主題を表す文が述べられることが多い。ここでは第1段落第4文がそれに相当する役割を担い，第2段落で，運転中の携帯電話使用の危険性に関する調査の具体的な内容が述べられる。　**解答** 4

No.2 ▶ 質問：少数の学生は，大多数の学生とどのように異なっていたか。
選択肢
1　彼らは携帯電話を使って新しい技術を学ぶことができた。
2　彼らは2つの作業を同時に巧みに行った。
3　彼らは集中したときに運転能力が向上した。
4　調査中，彼らの成績は低下した。

解説　第2段落第3文に 2.5 percent of the subjects, though, turned out to be able to do two tasks just as well as one. とあり，少数ではあるが，運転と携帯電話での作業を同時にこなせた被験者がいたとわかる。　**解答** 2

(B)　Icelandic Volcano Stops Flights
スクリプト

　　In April 2010, air travel throughout Western Europe was suspended because of the eruption of Eyjafjallajökull, an ice cap covering a volcano located in the south of Iceland. The volcano poured out ash, which formed a huge cloud over the Atlantic Ocean. As a result, all flights between North America and London, Paris and other European destinations were cancelled indefinitely. Most other flights were also grounded. Some claimed that airline authorities were being too cautious, but according to experts the ash does represent a real danger to aircraft.

　　In a similar case in 1989, an airplane that flew through a volcanic cloud experienced engine failure. The engines only came on again after the airplane had left the cloud. Jet engines generate power by sucking in the external air, and if volcanic glass or rock dust gets inside the aircraft engine, it could trigger all kinds of trouble.

Questions
No.3 What did some people say about the airline authorities?
No.4 What happened in 1989?

全訳 アイスランドの火山が航空便の運航をストップさせる

　2010年4月，アイスランド南部に位置する氷河エイヤフィヤトラヨークトルに覆われた火山の噴火により，西ヨーロッパ全域の航空便の運行が一時停止した。火山は火山灰を噴出し，それは巨大な雲となって大西洋上空を覆った。その結果，北アメリカとロンドンやパリなどヨーロッパの目的地とを結ぶ航空便は，すべて無期限に欠航となった。そのほかの多くの便も離陸できなくなった。一部の人は，航空当局は慎重になりすぎていると主張したが，専門家によれば，火山灰は確かに航空機にとって非常に危険なものであるという。

　1989年の似たようなケースでは，火山雲の中を飛行中の航空機がエンジン故障を起こした。エンジンがやっと再稼働したのは，航空機が火山雲を抜け出してからのことだった。ジェットエンジンは外気を取り込んで動力を発生させるため，火山ガラスや火山岩の粉がエンジン内に入ると，あらゆる問題を引き起こす可能性があるのだ。

No.3 ▶質問：一部の人は，航空当局について何と言ったか。
選択肢
1　彼らは噴火を予測すべきだった。
2　彼らは危険に対して過剰反応した。
3　彼らは航空機を墜落させた。
4　彼らは過去の経験から学んでいない。

解説　第1段落最終文に Some claimed that airline authorities were being too cautious, but according to experts the ash does represent a real danger to aircraft. とあり，航空当局が火山の噴火による影響を警戒しすぎていると主張した人がいたとわかる。この最終文が文章全体の方向性を示す文で，特に but 以下が主題となる。このように主題文が段落末に来る場合もあるが，その際には but など対照・逆接のつなぎ言葉に注意したい。

解答 **2**

No.4 ▶質問：1989年に何が起こったか。
選択肢
1　航空機が火山に激突した。
2　航空機のフロントガラスが噴火で溶けた。
3　パイロットたちが火山雲の中で視界を遮られた。
4　火山灰が航空機のエンジンの作動を妨げた。

解説　第2段落第1文に In a similar case in 1989, an airplane that flew through a volcanic cloud experienced engine failure. とあり，1989年に火山雲によるエンジン故障が起こったとわかる。

解答 **4**

❶-3 英文の大まかな内容と流れをつかむ③
典型的な話の展開を知り，予想しながら聞く

話の展開の仕方はさまざまにありうるが，Part 3 の英文では，種類によって典型的なパターンが見られる。Part 3 では，あらかじめ与えられた状況に基づいて自分に必要な情報を選び取る力が試されるが，典型的な英文の展開を念頭に置いて聞き取りを進めることによって，よりスムーズに必要な情報をとらえることができるようになる。

1 留守番電話のメッセージ

留守番電話のメッセージにはある程度の規則性が見られる。冒頭で，何か予定があったが，その予定を変更しなければならない事情が説明される。次に，予定をどのように変更しなければならないのか，また，それにより「あなた」にどのようなことを依頼したいのかが話される。

例題

① Lola, it's Jan. I'm stuck in New York. The snow has stopped all flights, and I can't get home tonight. I have a favor to ask. Could you go to my place and check on Max? You know where the spare key is, so you can let yourself in. The dog food is in the cupboard above the sink, so ② <u>could you feed him and take him out for a quick walk?</u> The leash is on the table by the front door. I hope to be home by 10 tomorrow morning. If you have any questions, call my cell phone. Thanks for your help.

(2009-1)

Situation：あなたはちょうど帰宅したところである。あなたの友人が留守番電話にメッセージを残した。彼女は飼い犬のマックスについて心配している。
Question：彼女はあなたに何をするよう頼んでいるか。

①**状況の説明**：「大雪のため，今夜は帰ることができない」

②**予定変更に伴う依頼**：「自分の代わりに犬の世話をしてほしい」

聞き取りのポイントは「何をするように頼まれているか」である。最初の状況説明の後で，友人からの依頼があることを予想しながら聞く。すると，下線部の英文が流れる。ここから，彼女がお願いしていることは「犬に餌をあげて散歩に連れ出す」ということだとわかる。

2 プログラム，催し物，企画展などのアナウンス

　学校のプログラムの説明，ツアーガイドからの諸連絡，ショッピングモールでの催し物や美術館の企画展の紹介といった英文では，一般的にまず全体に共通する内容を話した後，個々のプログラム，催し物，企画の説明に移る傾向が見られる。つまり，全体から個別へ，という流れであることが多い。

例題

　Thank you for coming tonight. We're very proud of the many specialized programs we offer. Regardless of the program, your child will also receive a comprehensive education in all academic areas. To learn more about our language immersion programs, please attend the presentation in the auditorium. An explanation of our Step-Up Math program, designed for students who struggle with the subject, will be held in the conference room. <u>Information about the Advanced Math program will be given in the library.</u> Finally, please go to the computer lab for details of our science and technology programs.　　　　　　　　(2009-2)

Situation：あなたは息子を入れようと考えている学校のオリエンテーションに出席している。彼は数学の才能がある。
Question：あなたはどこに行くべきか。

① **全体**：
プログラム全体の特徴

⇩

② **個別**：
各プログラムの名称と，詳しい説明が行われる場所

　聞き取りのポイントは，数学の才能がある子どものために「どのプログラムの説明をどこに聞きに行くべきか」ということである。冒頭は，この学校のプログラムの全般的な説明である。この後に，個々のプログラムの説明があると予想しながら聞く。すると，各プログラムの名称と，その詳細を聞くためにどこに行くべきかがアナウンスされる。「上級数学プログラム」についての説明（下線部）から，あなたが行くべき場所は「図書館」であることがわかる。

　このように，話の展開を予想しながら聞くことで，自分の必要としている情報をよりスムーズに聞き取ることができる。

トレーニング

英文を聞いて，質問に答えなさい。

Part 3

(A)

No.1　*Situation*:　You arrive home late from work, and find the following voicemail message on your answering machine.

　　　　　Question:　What does Paul want you to do?

1　Get a refund on the tickets by Friday.
2　Meet some important business clients.
3　Go to the ballet with somebody else.
4　Celebrate his birthday another day.

(B)

No.2　*Situation*:　You are a college student in the south of England. You are going on an excursion to London, and hear this announcement by the guide. You want to have dinner at the Globe Theatre's restaurant.

　　　　　Question:　What should you do?

1　Talk to Ms. Jones after breakfast.
2　Tell the tour guide immediately.
3　Be at the theater by 6:30.
4　Be in front of the college at 9:30.

解答と解説

(A)
スクリプト

　Hi, this is Paul. I hope everything is going well with you and that you are not as busy as I am. Actually, I've been trying to get in touch with you all day, but your cell phone seems to be turned off. You remember that I promised to take you to the ballet for your birthday next Friday? I've already got the tickets for the performance, but unfortunately I won't be able to go after all. It turns out I have to meet some important clients that evening. Could you possibly find someone else to go with? I'll send the tickets to you tomorrow. Don't worry about the cost — just consider them a birthday present from me. I'm really disappointed that we can't go together, but if possible, I'll take you out again on another evening. I'll let you know when work is a little bit less hectic. Bye.

全訳

　やあ，ポールだよ。君の方はすべてうまくいっていて，僕ほど忙しくなければいいけど。実は，今日ずっと君と連絡を取ろうとしていたんだけど，君の携帯電話の電源が切れているみたいなんだ。来週金曜日の君の誕生日に，バレエに連れて行くって約束したのを覚えているよね？　もうその公演のチケットは取ってあるんだけど，残念ながらやっぱり行けないんだ。その晩，大事なクライアントと会わなくてはならなくなったんだよ。誰かほかの人を見つけて一緒に行ってもらうことはできるかな？　明日，チケットを郵送するよ。お金のことは気にせず，僕からの誕生日プレゼントだと思って。一緒に行けなくて本当に残念だけど，できたら別の夜にまたどこかに連れて行くよ。仕事がもう少し落ち着いたら，また連絡するね。じゃあ。

No.1 ▶状況：あなたが夜遅く仕事から帰ると，留守番電話に次のようなメッセージが入っていた。

　　　　質問：ポールはあなたに何をしてほしいのか。

選択肢　1　金曜日までにチケットを払い戻してもらう。
　　　　2　大事な仕事上のクライアントに会う。
　　　　3　ほかの人とバレエに行く。
　　　　4　彼の誕生日を別の日に祝う。

解説　留守番電話のメッセージでは，初めに当初の予定を変更しなければならない事情の説明があり，その後，その予定をどう変更しなければならないのか，またそれによりどのような依頼をする必要があるのか，という内容が

続くことが多い。この英文でも，前半部分で約束していたバレエに行くことができない理由が述べられ，第 7 文で Could you possibly find someone else to go with? と，予定変更に伴う依頼がなされている。つまり，自分の代わりに誰かほかの人とバレエに行ってくれないか，ということである。

解答　3

(B)
スクリプト

Good morning, everyone. As you know, today we will be taking an excursion to London. Anyone who wants to go but has not signed up, please come and tell me immediately after this announcement. In the morning, we'll visit the British Museum and then, following lunch, there will be free time for shopping until the performance of *Othello* at the Globe Theatre in the evening. The coach will leave from in front of the college at 9:30 sharp, so please do not be late. By the way, there are still a few places available for the pre-theater dinner at the Globe's own restaurant, so if you would like to join us, please inform my assistant, Ms. Jones, after breakfast. For the rest of you, there are many good restaurants near the Globe. The performance will start at 7 p.m., so please be at the theater by 6:30 at the latest.

全訳

皆さん，おはようございます。ご存じのように，今日私たちは，ロンドンへの小旅行に出かけます。参加したいけれどまだ登録していないという方は，このアナウンスの後すぐに私に知らせてください。午前中は大英博物館へ行き，昼食を取った後，夕方のグローブシアターでの『オセロ』公演まで，ショッピングのための自由時間となります。バスは 9 時半ちょうどに大学の前から出発するので，遅れないでください。ところで，グローブシアターのレストランで，観劇前のディナーの席がまだいくつか空いています。私たちと一緒に食事をしたい方は，朝食の後，私のアシスタントのジョーンズさんに知らせてください。それ以外の方には，グローブシアター周辺に良いレストランがたくさんあります。公演は午後 7 時に始まるので，遅くとも 6 時半までには劇場に来てください。

No.2 ▶状況：あなたはイギリス南部の大学生である。ロンドンへの小旅行に出かけるところで，ガイドによる次のアナウンスを聞く。あなたはグローブシアターのレストランで夕食を取りたいと思っている。

　▶質問：あなたは何をすべきか。

選択肢
1 朝食の後,ジョーンズさんと話す。
2 すぐにツアーガイドに知らせる。
3 6時半までに劇場に行く。
4 9時半に大学の前に行く。

解説 ツアーガイドによるアナウンスでは,まず全体的なツアーの流れが説明され,その後に個々の催しの詳細や注意事項などが述べられることが多い。このアナウンスでも,まず1日の予定が話された後,第6文において there are still a few places available for the pre-theater dinner at the Globe's own restaurant, so if you would like to join us, please inform my assistant, Ms. Jones, after breakfast という説明が付加されている。つまり,グローブシアターのレストランで夕食を取りたければ,朝食の後にジョーンズさんに話をしなければならない,ということである。　**解答** 1

❶-4 英文の大まかな内容と流れをつかむ④
話の展開を示す言葉を聞き取る

　話の展開を示す言葉，いわゆるつなぎ言葉を聞き取ることは，英文の大まかな流れを把握する上で非常に重要である。ここでは特に頻出の，対照・逆接のつなぎ言葉に着目していくことにする。

1 対照・逆接のつなぎ言葉と文章の流れ

　Part 2 の論説文では，何か新しい発見や情報などを提示し，それに対する別の意見をその後に紹介することがある。その際，話の流れをつかむのに重要なのが対照・逆接のつなぎ言葉である。

例題

Selling Beauty

　Avon, a famous beauty-product company, has been sending sales representatives door-to-door since 1886. Recently, **though**, Avon has struggled to attract women to these sales positions. To turn things around, Avon took a survey of its sales representatives and designed a new incentives program to include their suggestions. Now, representatives who reach sales targets can receive higher rates of commission, bigger bonuses, and trips to exotic locations. So far, the number of women applying for sales positions has grown 5 percent in the past year.

　Investment analyst Ali Dibadj, **however**, says profit per representative has fallen 60 percent in the last six years. He doubts that more representatives will increase sales. Bank analyst Bill Schmitz, **on the other hand**, believes Avon's recent growth is promising, pointing out that Avon's main strength has always been its sales force.　　　　（2009-1）

- 事実：「エイボンは販売担当員を一軒一軒の家庭に送り続けている」
- 対照のつなぎ言葉→主題：「エイボンはこれまでと異なり，販売職に女性を引き付けるのに苦労している」
- 苦境を改善するための具体的な方策と，その肯定的な結果
- 逆接のつなぎ言葉→上の内容と反する意見：「販売担当員が増えれば販売が促進されるとは限らない」
- 対照のつなぎ言葉→上の意見と異なる見解：「エイボンの強さはやはり販売力である」

2 対照・逆接のつなぎ言葉を道しるべにした聞き取り

1 対照・逆接のつなぎ言葉はメイン・アイディアを把握する鍵

　Part 2 の論説文では冒頭にメイン・アイディアが来ることが多いが，文中に埋め込まれている場合もある。そのような場合は，though や but といった対照・逆接のつなぎ言葉に注意する。導入部分で一般論やこれまでの経過が述べられた後，「しかし，実際には」というように，話者の言いたいこと，つまり主題が来るのである。例題でも，「エイボンは，一軒一軒の家庭に販売担当員を送り続けてきている」というこれまでの経過が述べられ，けれども (though)，「最近は販売職に女性を引き付けるのに苦労している」という主要な事実が提示される。その後，それを改善するための具体的な方策が述べられ，一定の効果を挙げてきていることが語られる。

2 相反する主張・意見を対照・逆接のつなぎ言葉で整理

　Part 2 の論説文では，何か新しい事実が紹介された後で，それに関する対照的な意見が述べられることが多い。例題においても，第 1 段落で，販売職に女性を引き付けるための具体的方策とその効果が述べられた後，第 2 段落において，「販売員が増えれば販売が促進されるわけではない」という見方と「エイボンの強さはやはりその販売力である」という見方の，2 つの異なる意見が並列されている。これら 2 つの意見を導いているつなぎ言葉が，however や on the other hand である。これらのつなぎ言葉に着目することで，話の流れを追いやすくなる。

3 重要なつなぎ言葉

対照・逆接

however / but「しかし」　　　　　on the other hand「一方で」
although / though「〜だけれども」　in contrast / by contrast「対照的に」
on the contrary「それどころか」　　while「〜だけれども」
whereas「〜であるのに」

比較・類似

compared with 〜「〜と比較して」
in the same way / similarly「同様に」
in common「共通して」

トレーニング

英文を聞いて，質問に答えなさい。

Part 2

(A)

No.1
1. Both suffered from an economic downturn.
2. Both experienced a growth in wealth.
3. Both found their taxes being increased.
4. Both invested more money in education.

No.2
1. Today very few people are benefiting from economic expansion.
2. Today only the educated are able to compete globally.
3. Today high-school graduates are earning more than college graduates.
4. Today top earners are finding it difficult to increase their wealth.

(B)

No.3
1. Because they eat plants that absorb a kind of greenhouse gas.
2. Because they convert grass into carbon dioxide.
3. Because they heat up the atmosphere where they live.
4. Because they release dangerous chemicals from their body.

No.4
1. That levels of greenhouse gases are declining.
2. That plants are actually the cause of global warming.
3. That small organisms in the earth are eaten by animals.
4. That cattle help reduce the production of nitrous oxide.

(C)

No.5
1. A year in which China's population began to grow rapidly.
2. A year in which most earthquakes happened in unpopulated areas.
3. A year in which the number of earthquakes seemed to be increasing.
4. A year in which Tehran experienced its first earthquake.

No.6
1. The surface of the earth has become more unstable.
2. There are more highly populated places in the world.
3. The earthquakes that happen are more violent.
4. There are more earthquakes in the same places.

解答と解説

(A) The Lost American Dream

スクリプト

The U.S. likes to think of itself as the land of opportunity, but over the past decade there has been increasing evidence that in fact there are fewer and fewer opportunities. Whereas in the late 1990s, all levels of society saw their incomes rising to some extent, since 2000 only the incomes of the top 20 percent have grown. By contrast, most of the population has found itself earning the same or less than before.

Conservative politicians often suggest that the problem lies in low levels of education, but recent figures have thrown doubt on this. Between 2000 and 2004, the average incomes of university graduates actually fell. Moreover, the gap between their incomes and those of high-school graduates grew less. The wealth of the top 0.1 percent of earners, on the other hand, grew dramatically. Most of the growth in the American economy nowadays seems to benefit only a tiny proportion of the population.

Questions

No.1 What did rich and poor people have in common in the late 1990s?

No.2 What is the main difference between the current period and the period in the late 1990s?

全訳　失われたアメリカンドリーム

アメリカは，自分の国をチャンスにあふれた国だと考えるのが好きであるが，実際には過去10年間で，チャンスがどんどん減少してきていることがますます明らかになっている。1990年代後半には，社会のすべての階層で収入がある程度増加したのに対し，2000年以降，収入が増加したのは上位20％の人々のみである。対照的に，国民の大多数は，収入が以前と同じかそれ以下となった。

保守派の政治家たちは，問題は教育レベルの低さにあるとしばしば示唆するが，最近の統計はこの見方に疑問を投げかけている。2000年から2004年にかけて，大卒者の平均収入は実際は低下した。さらに，彼らの収入と高卒者の収入の差は狭まった。一方で，0.1％の最富裕層の収入は劇的に増加した。近ごろのアメリカの経済成長の大部分は，国民のほんの一部にのみ恩恵を与えているようだ。

No.1 ▶質問：1990年代後半，富裕層と貧困層にはどのような共通点があったか。
　選択肢　**1**　両者とも経済の低迷に苦しんだ。

2 両者とも収入増加を経験した。
3 両者とも支払う税金が増えた。
4 両者とも教育により多く投資した。

解説 第1段落第2文に in the late 1990s, all levels of society saw their incomes rising to some extent とあり，90年代後半には，富裕層も貧困層も収入がある程度増加したことがわかる。ちなみに，第1段落第1文では逆説のつなぎ言葉 but の後にこの英文の主題が述べられているので，注意が必要である。　　　　　　　　　　　　　　　　　　　　　　　　　　**解答** 2

No.2 ▶ 質問：現在と1990年代後半とで，主な違いは何か。
選択肢
1 現在は，ごく少数の人だけが経済成長の恩恵を享受している。
2 現在は，教育を受けた人のみが国際的に競争できる。
3 現在は，高卒者が大卒者よりも多く収入を得ている。
4 現在は，高額所得者が収入を増やすのに苦労している。

解説 第1段落第2文 Whereas in the late 1990s, all levels of society saw their incomes rising to some extent, since 2000 only the incomes of the top 20 percent have grown. と第2段落最終文 Most of the growth in the American economy nowadays seems to benefit only a tiny proportion of the population. から，90年代後半とは異なり，近年ではほんの一握りの富裕層のみが経済発展の恩恵にあずかっていることがわかる。このように，Part 2の論説文では，whereas のような対照を表すつなぎ言葉の後に重要な事実が述べられることが多い。　　　　　　　　　　　　　　　　　　　　　**解答** 1

(B) What Is to Blame for Global Warming?

スクリプト

　　Although carbon dioxide is responsible for much global warming, it is not the only greenhouse gas. Another is nitrous oxide, which is a far more powerful preserver of heat than carbon dioxide.

　　For a long time, scientists believed that the major cause of the nitrous oxide in the atmosphere was cattle. Because farm animals eat plants, they were thought to prevent the plants absorbing the gas. A new study, however, denies this. According to the German scientists who carried out the study, grazing by animals actually reduces nitrous oxide. This is because it exposes the earth to the air, causing many of the small organisms in the soil that create nitrous oxide to die.

　　The scientists say there is no doubt that the level of nitrous oxide in the air is increasing and causing global warming. They insist, though, that past theories have been wrong to blame farm animals for this increase.

Questions
No.3 Why did scientists think farm animals were a problem?
No.4 What have the German scientists discovered?

> 全訳　地球温暖化は何のせいか

　二酸化炭素は地球温暖化の主な原因となってはいるが，それが唯一の温室効果ガスというわけではない。ほかに亜酸化窒素というものがあり，これは二酸化炭素よりも熱を保存する働きがきわめて強い。

　科学者たちは長い間，大気中の亜酸化窒素の主な原因は牛であると信じてきた。家畜は草を食べるので，植物がこの気体を取り込むのを妨げてしまうと考えられていたのだ。しかし，新しい研究はこれを否定する。研究を行ったドイツの科学者たちによると，実際は動物が草を食べることにより，亜酸化窒素が削減されるという。その理由は，これにより土が空気に触れ，亜酸化窒素を作り出す地中の微生物の多くが死滅するためだ。

　この科学者たちは，確かに大気中の亜酸化窒素は増加しており，それが地球温暖化を引き起こしていると言う。しかし，その増加を家畜のせいだとする以前の理論は間違っていると主張する。

No.3 ▶質問：なぜ科学者たちは家畜が問題だと考えたのか。
選択肢
1　家畜は温室効果ガスの一種を吸収する植物を食べてしまうから。
2　家畜は草を二酸化炭素に変えてしまうから。
3　家畜は彼らのいる場所の大気を熱してしまうから。
4　家畜は身体から危険な化学物質を放出するから。

解説　第2段落第2文に Because farm animals eat plants, they were thought to prevent the plants absorbing the gas. とあり，亜酸化窒素を吸収する植物を食べてしまう家畜が温暖化の原因の1つであると科学者たちが考えていたことがわかる。

解答　**1**

No.4 ▶質問：ドイツの科学者たちは何を発見したか。
選択肢
1　温室効果ガスの量が減ってきていること。
2　実は植物が地球温暖化の原因であること。
3　地中の微生物が動物に食べられていること。
4　牛が亜酸化窒素の発生を抑制するのに役立っていること。

解説　第2段落第4文に According to the German scientists who carried out the study, grazing by animals actually reduces nitrous oxide. とあり，家畜が温室効果ガスの亜酸化窒素を減らすことに貢献していることがドイツの科

学者たちによって明らかにされたとわかる。第2段落では，まずこれまで信じられてきた事柄が述べられ，第3文の however 以降にそれとは対照的な事実が報告されている。however のような逆接のつなぎ言葉の後には，重要な事柄が述べられることが多いので注意する。　**解答** 4

(C) Is the Number of Earthquakes Increasing?

スクリプト

Earthquakes seem to be becoming more common. In the first few months of 2010, for example, major earthquakes took place in Haiti, Chile and China. According to British expert Roger Musson, however, the number of earthquakes is not increasing. Why, then, does it seem to be? The main reason, he argues, is that we only notice them when they strike populated places, and that this happens more often in some years than others. Take the case of 1976. In that year, there were a number of earthquakes that damaged cities, including one in China. Many people became worried that earthquakes were increasing. In fact, there were fewer earthquakes worldwide than in most years.

Unfortunately, though, the world has become more and more populated. The last time an earthquake hit Tehran, for instance, it was a little town. Now it is a huge city and any large earthquake would be a major disaster.

Questions

No.5 What is 1976 an example of?

No.6 Why are earthquake disasters perceived to be becoming more common?

全訳 地震の回数は増えているのか

　地震は，ますます日常的な出来事になってきているように思える。例えば，2010年初めの数カ月間に，大規模な地震がハイチ，チリ，中国で発生した。しかし，イギリスの専門家ロジャー・ミュッソンによると，地震の回数は増えていないという。では，なぜそのように思えるのだろうか。彼は，私たちは人口の多い場所で起こったときにだけ地震を意識すること，さらに，人口の多い場所で地震が例年より多く起こる年があることが，その主な理由だと言う。1976年を例に取ろう。この年，中国の1都市を含む都市部で多くの地震が発生した。多くの人が，地震が増加しているという不安を抱いた。実際には，世界的に見て，地震は例年より少なかったのである。

　しかし不都合なことに，世界ではますます人口が増加している。例えば，前回テ

ヘランで地震が発生したとき，そこは小さな町だった。現在では巨大都市となっており，大地震が発生すれば被害も甚大なものとなるだろう。

No.5 ▶質問：1976年は何の例となっているか。

選択肢
1. 中国の人口が急速に増加し始めた年。
2. ほとんどの地震が人口の少ない地域で発生した年。
3. 地震の回数が増えているように感じられた年。
4. テヘランが初めて地震を経験した年。

解説　第1段落では，冒頭に地震の発生頻度が増えてきているように思われるという現状が述べられた後，however という逆接のつなぎ言葉に導かれて，実際はそうではない，というこの文章の主題が述べられている。その後，第1段落第5文で「地震が増加しているように思える理由は，それが人口密集地で多く発生したからである」と述べられている。その直後に Take the case of 1976. とあるので，1976年は上記の事柄の具体的な例として挙げられていることがわかる。　　　　　　　　　　　　　　解答　**3**

No.6 ▶質問：なぜ地震の被害はより日常的なものに感じられるようになってきたのか。

選択肢
1. 地球の表面がより不安定になったため。
2. 世界に人口の密集している場所が増えたため。
3. 発生する地震がより激しいため。
4. 同じ場所で繰り返し地震が発生しているため。

解説　第1段落第5文と第2段落から，「人口密集地が増えたため，相対的に人口の多い場所で地震が起こることも多くなり，その結果，地震の頻度が増えたように感じられる」ということが読み取れる。　　　　解答　**2**

2-1 内容の理解を深める① 話の最後に注意する

リスニング問題では，さまざまな意見や論が述べられるものの，最終的な結論はしばしば最後に述べられる。また，それが質問で扱われることも多い。冒頭を聞き逃してしまった場合も，そこであきらめず，気を取り直して聞き取りを進めよう。

1 Part 1（会話問題）の場合

会話問題では，会話の最後に答えの鍵となる発言がなされることがある。特に，以下のような店員と客の会話では，最終部分で意思決定がなされることが多い。

例題

M : Excuse me. I need to replace a thermostat in my air conditioner, and I heard you deal in replacement parts.
W : We do. What make and model is that for?
M : The Dycon range of air conditioners…um…the SG-88 model.
W : Oh! That model's 20 years old. Unfortunately, the manufacturer only guarantees parts availability for 15 years.
M : So I can't get the part?
W : Just a minute, I'll check the company database…You're in luck! ① <u>There's one in our central warehouse, but it'll take a week to ship.</u>
M : ② <u>It's worth the wait.</u> Thanks.

(2009-1)

Question : What does the woman say?
 1 The air conditioner needs to be replaced.
 2 The manufacturer went out of business.
 3 The customer must wait for the part.
 4 The guarantee covers repair costs.

①店員から客への最終的な回答　　②客の最終的な意思決定

前半から中盤にかけては客の依頼に対する店員の受け答えであり，いくつかの情報の確認や，依頼に対する選択肢の提示が行われる。それを踏まえた店員の最後のせりふ There's one in our central warehouse, but it'll take a week to ship. と，それに対する男性のせりふ It's worth the wait. から，答えは **3** に絞られる。

2 Part 2（論説文）の場合

論説文では，冒頭のメイン・アイディアの後，主題に関する利点や有効な点が述べられ，その後，対照的にその欠点が提示される傾向がある。利点や欠点は，しばしば段落末や文章末に置かれ，質問で扱われることも多い。

例題

Fuel from Recycled Coffee Grounds

Mano Misra and his colleagues at the University of Nevada have created an alternative fuel from the grounds left over after coffee has been made. Used coffee grounds are about 15 percent oil by weight, and this oil can be converted into biodiesel. The biggest advantage is that biodiesel made from coffee grounds does not use vital food sources, unlike biodiesel made from soybeans or corn. Coffee-ground biodiesel also has other benefits. The antioxidants in coffee act as a preservative, so coffee-ground biodiesel can be kept for significantly longer than other biodiesels. Moreover, it smells just like freshly brewed coffee. ①

With over 7 billion kilograms of coffee grown worldwide each year, Misra estimates that nearly 340 million gallons of biodiesel could be produced. <u>This total is small, **however**, amounting to less than one percent of diesel consumption in the U.S. alone.</u> ② (2009-2)

Question : What does the speaker say about the future of coffee-ground biodiesel?
 1 It will only be available in the U.S.
 2 It will become more common than other biodiesels.
 3 It will be a minor part of global diesel supply.
 4 It will be unpopular because of its poor quality.

①**利点**：「原料が生命に不可欠な食糧資源ではない，長期保存できる，香りが良い」

②**欠点**：「年間の生産量がアメリカで消費されるディーゼル燃料の１％にも満たない」

最終文（下線部）で「コーヒーの出しがらから作られるバイオディーゼルの総生産量は著しく少ない」という欠点が述べられており，これが質問の答えとなる。したがって，正解は **3** である。

トレーニング

英文を聞いて，質問に答えなさい。

Part 1

No. 1
1. She should ask more politely.
2. She has too many clothes already.
3. He cannot afford to help her out.
4. He will not lend her the money.

Part 2

(A)

No. 2
1. Anybody can create their own profile.
2. People can attack other people anonymously.
3. It encourages problems in the workplace.
4. Only people with special skills can use it.

No. 3
1. People who are criticized can defend themselves.
2. Users are forced to reveal their identities.
3. It is possible for contributors to communicate with each other.
4. It is freely available to anyone who is interested.

解答と解説

No. 1

スクリプト

W : Dad, can you lend me 50 dollars?
M : What do you mean 'lend', Daisy? You still haven't paid me back the 30 dollars I gave you last month.
W : I know. But I need a new skirt.
M : I understand that, but you must learn to save for new things.
W : I thought you could add the 50 to the 30 I already owe you.
M : Well, you'll just have to think again.

Question : What does Daisy's father imply?

全訳

W：お父さん，50ドル貸してくれる？
M：「貸して」とはどういうことだい，デイジー？ 先月貸した30ドルもまだ返してもらってないぞ。
W：うん。でも，新しいスカートが必要なの。
M：わかるけど，新しい物が欲しいなら貯金することを学ばなきゃ。
W：50ドルを，前に借りた30ドルに足してくれるかなと思って。
M：うーん，考え直しなさい。

No. 1 ▶質問：デイジーの父親は何をほのめかしているか。

選択肢
1 デイジーはもっと丁寧に頼むべきだ。
2 デイジーは既に服を持ち過ぎている。
3 デイジーを援助する余裕はない。
4 デイジーにお金を貸さない。

解説 Part 1 では，会話の最後の部分に答えの鍵となる発言がなされることがしばしばある。この例でも，男性の最後のせりふ Well, you'll just have to think again. から，男性はお金を貸すつもりがないことが推察される。

解答 4

(A) Workplace Honesty

スクリプト

Are you unhappy with your boss? Now a new website in the U.S. called *Unvarnished* allows you to tell the world about it. You set up a profile of your boss and describe what is bothering you. And because your name is not provided, you can do this without any fear of reprisal. It sounds great, doesn't it? Many people, however, are worried that allowing people to criticize others without revealing who they are will lead to Internet bullying.

According to the organizers of *Unvarnished*, however, they give due consideration to balanced communication on the website. For example, contributors and their comments are rated by others so that you can see which information is valid. Moreover, you can find your profile easily, and ask your trusted colleagues to write good reviews for you to repair your reputation. Unlike other sites, this will give the person who is being criticized a chance to answer the criticisms on the same site.

Questions

No. 2 What is one problem with this kind of Internet site?
No. 3 What is a special feature of the new website?

全訳　職場に関する正直さ

　あなたは自分の上司に不満？　アメリカの新しいウェブサイト「アンヴァーニッシュト」では，その不満を世界中に公開できる。上司のプロフィールを作成し，あなたを悩ませている事情を説明する。あなたの名前は公開されないので，報復措置を恐れずに行える。素晴らしいではないか。しかし，多くの人は，匿名で他人を批判するのを許すことは，ネットいじめにつながると懸念している。

　しかし「アンヴァーニッシュト」の運営者たちは，同サイトでバランスの取れたコミュニケーションが行われるよう，十分に配慮していると言う。例えば，どの情報に信憑性があるかがわかるように，投稿者とそのコメントはほかのユーザーによって評価される。さらに，簡単に自分のプロフィールを見つけることができるので，信頼できる仕事仲間に自分の良い評価を書いてもらい，評判を回復することができる。ほかのサイトと異なり，これにより，批判された人は同じサイトでその批判に対応する機会を得られるのだ。

No. 2 ▶質問：このようなインターネットサイトの問題の1つは何か。
選択肢
1　誰でも自分のプロフィールを作成できてしまう。
2　他人を匿名で攻撃できてしまう。
3　職場で問題を起こす要因となる。
4　特別な技術を持った人しか利用できない。

解説　第1段落最終文に Many people, however, are worried that allowing people to criticize others without revealing who they are will lead to Internet bullying. とあり，匿名で相手を批判できることが問題視されているとわかる。
解答　**2**

No. 3 ▶質問：この新しいウェブサイトの特徴は何か。
選択肢
1　批判された人が自分を擁護できる。
2　ユーザーが身元を明かすことを強制される。
3　投稿者同士で連絡を取り合うことができる。
4　興味がある人なら誰でも自由に使うことができる。

解説　第2段落最終文に Unlike other sites, this will give the person who is being criticized a chance to answer the criticisms on the same site. とあり，この新しいウェブサイトでは，批判された人が自分を擁護するチャンスを持てるということがわかる。このように，文章の最後の部分で鍵となる情報が話されることがあるので，注意が必要である。
解答　**1**

2-2 内容の理解を深める②　特定の情報（5W1H）に注意する

Part 3 では，さまざまな施設でのアナウンスやラジオ放送が題材として扱われることが多い。このような種類の英文の内容理解を深めるためには，特定の情報（5W1H）に集中して聞くことが重要である。特に，いつ（when），どこで（where），何が（what）あるのか，何を（what）すべきなのか，といった点が聞き取りのポイントとなる。

1 館内アナウンスの場合

「6歳の息子とショッピングモールに来ていて，1時間余裕があり，息子を子どものための催し物に連れて行きたい」という状況なので，何の催し物が（what），どこで（where），いつ（when）あるのか，がポイントとなる。

例題

Thank you for shopping at Burley's. Today, we're holding a special back-to-school sale. From 10 a.m. to 4 p.m., all children's clothes are half price. Visit level 3 to take advantage of this great offer. Several events will also be held throughout the store. There will be **20-minute puppet shows** performed by Funhouse Theater **in the food court on level 1**. The next show starts **in 15 minutes**. At 3 p.m., pianist Raymond Brown will be playing your favorite children's songs in the customer lounge on level 4. Finally, before you leave, don't forget to try our new bakery café on level 2. (2009-1)

Situation：あなたは6歳の息子とショッピングモールに来ていて，息子を子どもの催し物に連れて行きたいと思っている。正午に友人と会う前に，1時間の自由時間がある。
Question：あなたはどこに行くべきか。

What（何が）：
20分間の人形劇
Where（どこで）：
1階のフードコート
When（いつ）：
15分後

正午までの1時間しか余裕がないという状況なので，15分後に始まる20分間の人形劇が目的に合致する。開催場所は1階のフードコートであると説明されており，これが質問の答えとなる。

2 ラジオ放送の場合

　この例では,「あなたの子どもはクランストン地区の学校に通っている」という状況が与えられている。質問は「今日,子どもの学校は何時に始まるのか」なので,どの地域（where）の学校が,何時（when）に始まるのか,に焦点を絞って聞き取りをする。

例題

　Thanks for tuning in to KPNN. Due to the heavy snowfall overnight, several schools this morning are closed or are getting underway later than **the normal nine o'clock start time**. All classes at Richmond schools and Richmond Community College are cancelled. Roseville High School is on a late start and will open at 9:30. All schools **in the Cranston** and Pinewood Districts will begin classes **an hour late**. Burlington schools will open at noon. Finally, if you live in the Rockport District, it's school as usual, so you'd better get going. Stay tuned for further updates.　　　　　　　　　　　(2008-3)

> **Situation**：あなたの子どもはクランストン地区の学校に通っている。あなたは自宅で,ラジオから流れる次のような放送を耳にする。
> **Question**：あなたの子どもの学校は,今日何時に始まるか。

> **Where**（どこで？）：クランストン地区とパインウッド地区の全校
> **When**（いつ？）：通常の9時より1時間遅れ,つまり10時

　まず, the normal nine o'clock start time から,「通常の始業時刻は9時である」という情報を確認する。次に,「子どもはクランストン地区の学校に通っている」という状況なので,場所（where）の情報に注意する。 All schools in the Cranston という語句が聞こえた時点で,時間（when）の情報に集中する。すると begin classes an hour late と放送され,通常より1時間遅れであることがわかる。つまり,学校が始まるのは「10時」である。

　このように,施設のアナウンスやラジオ放送などは,特定の情報（5W1H）に注意して聞き取りを進めることで,スムーズに内容を理解できる。特に, when, where, what の3つの情報は質問のポイントになることが多いので,集中して聞くようにしよう。

トレーニング

英文を聞いて，質問に答えなさい。

Part 3
(A)
No. 1   *Situation*: You are taking your sister's son and daughter to the movies. They are both under 12 and hate science fiction. You have to get them back home by 6 p.m.
  Question: Which movie should you take them to see?

  1 *Hello and Goodbye*
  2 *Pirates of the Future*
  3 *Bringing Up Jumbo*
  4 *The Happy Gang*

(B)
No. 2 *Situation*: You have just started at Greenleaf College. You know some French and wish to register for an intermediate class.
  Question: What should you do?

  1 Talk to Professor Brown afterwards.
  2 Visit Professor Smith's office at 9:30.
  3 Go to Classroom 5 after the announcement.
  4 Go to Classroom 12 at 10 a.m.

解答と解説

(A)

スクリプト

　　Hi, you have reached the MovieCenter. This week we have four great options to choose from. The first is *Hello and Goodbye*, a romantic comedy about a young female office worker looking for love in New York. Please note that it's rated PG-13. The second is *Pirates of the Future*, a thrilling adventure story set in a remote galaxy in the future. It's an ideal offering for children of all ages. Another movie that is proving popular with kids is *Bringing Up Jumbo*. This is the heart-warming story of a family that adopts a baby elephant. Our fourth choice is a Western, *The Happy Gang*. Despite its title, this is a realistic picture of the harsh life of outlaws in the Old West. All performances start at 2 p.m. except *The Happy Gang*, which starts at 6 p.m. We look forward to your visit.

全訳

　　はい，こちらはムービーセンターです。今週は4つの素晴らしい映画からお選びいただけます。1つ目の『ハロー・アンド・グッドバイ』は，若いOLがニューヨークで恋を探すロマンチックコメディー。PG-13に指定されておりますので，ご注意ください。2つ目は『パイレーツ・オブ・ザ・フューチャー』。未来の遠い銀河で繰り広げられる，スリル満点の冒険物語です。こちらは，すべての年齢のお子さまに楽しんでいただけます。お子さまの人気を集めているもう1つの映画は，『ブリンギング・アップ・ジャンボ』。赤ちゃんゾウを引き取って育てる家族の，心温まるお話です。4つ目は西部劇の『ザ・ハッピー・ギャング』。タイトルに似合わず，旧西部で生きるアウトローたちの過酷な人生をリアルに描いた映画です。午後6時から始まる『ザ・ハッピー・ギャング』を除き，映画はすべて午後2時から始まります。皆さまのお越しをお待ちしております。

No.1 ▶状況：あなたは姉の息子と娘を映画に連れて行く予定である。2人とも，12歳未満でSFが大嫌いである。家には午後6時までに連れて帰らなければならない。

　　　▶質問：あなたは2人をどの映画に連れて行くべきか。

選択肢　1　『ハロー・アンド・グッドバイ』
　　　　　2　『パイレーツ・オブ・ザ・フューチャー』
　　　　　3　『ブリンギング・アップ・ジャンボ』

4 『ザ・ハッピー・ギャング』

解説 Part 3 のアナウンスなどの聞き取りでは，状況をよく読み特定の情報 (5W1H) に集中して聞くことが重要である。この問題のポイントは，12 歳未満の SF が嫌いな子どもたちを映画に連れて行くが，6 時までに帰らなければならない，ということである。そこで，映画の始まる時間 (when) や映画の種類 (what) に着目する。これらの条件に当てはまるのは，SF ではなく，午後 2 時に始まり，12 歳未満の子どもでも楽しめる『ブリンギング・アップ・ジャンボ』だけである。 **解答** 3

(B)

スクリプト

Good morning, new students, and welcome to Greenleaf College. My name is Professor Brown. This morning is the time to register for your compulsory language classes. After I have finished talking, those who wish to take German should go to Classroom 4, and those choosing French should go to Classroom 5. Anyone who wants to skip a beginners' course and sign up instead for an intermediate or advanced class must first take a placement test. The test for German will take place at 10 a.m. in Classroom 11, and that for French in Classroom 12 at the same time. Anyone who wants to be exempt from language classes should come and talk to me immediately after this. Anyone who wishes to take both French and German should talk to Professor Smith in her office at 9:30. This afternoon we will meet here at 2 p.m. to talk about other classes.

全訳

新入生の皆さん，おはようございます。グリーンリーフ大学へようこそ。私は教授のブラウンです。今朝は，必修の語学課目を登録する時間です。私の話が終わったら，ドイツ語の履修を希望する人は第 4 教室へ，フランス語を選択する人は第 5 教室へ行ってください。初級コースを飛ばし，代わりに中級もしくは上級クラスに登録したい人は，最初にクラス分けテストを受けなくてはなりません。ドイツ語のテストは午前 10 時に第 11 教室で，フランス語のテストは第 12 教室で同じ時間に行われます。語学課目の履修免除を希望する人は，この後すぐに私のところに来て知らせてください。フランス語とドイツ語の両方を履修したい人は，9 時半にスミス教授の研究室で彼女と話してください。午後は 2 時にここに集まり，そのほかの授業について話します。

No.2 ▶状況：あなたはグリーンリーフ大学に通い始めたばかりである。あなたはフランス語の知識が少しあり，中級クラスに登録したいと思っている。

▶質問：あなたは何をするべきか。

選択肢
1　後でブラウン教授と話す。
2　9時半にスミス教授の研究室に行く。
3　説明が終わったら第5教室へ行く。
4　10時に第12教室へ行く。

解説　大学で，フランス語の中級クラスを取りたいという状況なので，そのコースを履修するにはどこへ (where)，何時に (when) 行けばいいかという情報に注意して聞く。すると，第5文から，中級クラスを取るにはクラス分けテストを受けなければならないこと，第6文から，フランス語のテストが行われるのはドイツ語と同じ10時から，第12教室でということがわかる。

解答 4

❷-3 内容の理解を深める③ 言い換え表現に注意する

準1級のリスニング問題では，問題文中で使われた表現がそのまま選択肢にも使われ，それが答えとなる，というような単純な問題はほとんど見られない。むしろ，同じ表現が使われている場合はひっかけの選択肢である可能性が高い。ここでは，問題文と選択肢における言い換え表現の具体例を見ていくことにしよう。

1 名詞句の言い換え

よく見られるパターンは，キーワードとなるような名詞句を言い換えるパターンである。

例題

M : Thank you for coming in today, Mrs. Lawson. I'd like to talk about your son.
W : I know he's been having trouble keeping up. I've been meaning to help him, but I've been so busy with work.
M : Well, if his performance doesn't improve, he'll have to repeat grade 5.
W : I'd really like to avoid that.
M : Maybe you should consider **a private tutor**. It might bring his scores up by the end of the year.
W : That's a good idea. I'll look into it.

(2009-2)

Question : What will the woman probably do?
1 Try to find someone to help her son.

問題文：a private tutor「家庭教師」
→選択肢：someone to help her son「息子を助けてくれる誰か」と具体的に説明

問題文中の a private tutor「家庭教師」という名詞句が，正解の選択肢では someone to help her son「彼女の息子を助けてくれる誰か」と言い換えられている。このように，問題文中の名詞句を別の言葉で説明するような言い換えはよく見られる。日ごろから英英辞典などを利用し，名詞を定義した英文に慣れておこう。また，teacher を instructor, children を kids というように，同意語に置き換える場合も多い。

2 述語表現の言い換え

以下に示すように，述語表現（動詞句や熟語表現）が言い換えられているパターンもよく見られる。

例題

Studying with Clowns

Betty Leef's nursing students were not worried about working with adult patients, but found communicating with sick children difficult. ① **To help them overcome this**, Leef, an instructor at New York University's College of Nursing, brought clowns into the classroom. She hoped that workshops led by clowns would teach her students new ways of interacting with children.

The clowns' ability to notice subtle changes in people's moods made them ideal instructors. They tried to help the students ② **become more aware of children's emotions** so that, as nurses, they would be better at gaining their patients' trust. In the final workshop, participants said they had learned to respond to nonverbal cues such as facial expressions. Most importantly, the clowns taught them the importance of maintaining a sense of joy in an environment that can be frightening for children.

(2009-2)

Questions
No.1 Why did Betty Leef decide to use clowns as teachers?
　1 To help her students deal with young patients.
No.2 What was one thing the clowns tried to teach the nursing students?
　4 How to read their patients' emotions.

①問題文：To help them overcome this
→選択肢：To help her students deal with young patients と言い換え

②問題文：become more aware of children's emotions
→選択肢：read their patients' emotions と言い換え

選択肢が質問 No.1 のように動詞句で提示されている場合は特に，その動詞句の部分が言い換えられている可能性が高い。日ごろから，動詞句や熟語表現の同意語をグループにして覚えておこう。

トレーニング

英文を聞いて、質問に答えなさい。

Part 1
No. 1
1. She is too tired to go out for the evening.
2. She does not like Bill Jones' movies.
3. She does not like films about war.
4. She does not believe the reviews.

Part 2
(A)
No. 2
1. Whether personality is something we acquire through experience or not.
2. Whether animals have individual characters or not.
3. What kind of character traits help animals survive.
4. Which animals are most like humans in their outlook.

No. 3
1. Why people respond to their experiences so differently.
2. What the role of evolution in human life is.
3. The genetic base for different philosophies of life.
4. When human beings first began to differ from animals.

解答と解説

No.1

スクリプト

M : How about going out to a movie? A couple of new films are premiering today.
W : That's a good idea. What would you like to see?
M : Bill Jones' latest is on at the local theater. The reviews are really great.
W : That's a war movie, isn't it? I think I'd rather see a comedy.
M : But the last time we went to a movie, I let you choose what to see. Can't you let me decide this time? You never know, it may change your view on war films.
W : Well… I just know I wouldn't be into it.

Question : Why doesn't the woman want to see the movie?

全訳

M：映画を観に行かない？ 今日公開の新しい映画がいくつかあるよ。
W：いいわね。何が観たい？
M：地元の映画館でビル・ジョーンズの最新映画をやっているよ。レビューがとてもいいんだ。
W：それ，戦争映画でしょう？ 私はコメディーを観る方がいいわ。
M：でも，この前映画に行ったとき，君に何を観るか選ばせてあげただろう。今回は僕に決めさせてくれないかい？ もしかしたら，戦争映画のイメージが変わるかもしれないよ。
W：うーん，きっと楽しめないってわかるの。

No. 1 ▶質問：なぜ女性はその映画を観たくないのか。

選択肢
1 今夜はとても疲れているので出かけたくない。
2 ビル・ジョーンズの映画が好きではない。
3 戦争映画が好きではない。
4 レビューを信じていない。

解説 女性の最後のせりふ I just know I wouldn't be into it. から，女性が戦争映画を嫌いなことがわかる。be into ～ は「～が大好きである」という意味だが，選択肢では，She does not like films about war. と like で言い換えられていることに注意が必要である。

解答 3

(A) Animal Personality

スクリプト

We are used to the idea that human beings each have their own unique personality. But what about animals? In recent years, much research into animal personalities has been carried out by scientists. The results suggest what most pet-owners already know — that animals do indeed have their own different characters.

In one experiment, 125 blue tits — small wild birds — were tested for their attitude to new things. A pink plastic frog was put into their feeding bowl. Some of the birds quickly overcame their fear and began eating; others were more cautious. After the birds were released into the wild, they showed the same character traits as they had in the laboratory.

One theory is that animals are born very similar, but that very small genetic differences are influenced by experience, leading to different personalities as time passes. Indeed, this research may throw light onto why human beings seem to have such different attitudes to life.

Questions
No. 2 What have some scientists been studying in recent years?
No. 3 What may the research help us to understand?

全訳 動物の性格

私たちは，人間はそれぞれ固有の性格を持っているという考え方になじんでいる。しかし，動物はどうだろうか。近年，科学者によって，動物の性格に関する研究が数多く行われてきた。研究結果は，ペットを飼っている人の多くが既に知っていることだが，動物は確かに異なる性格を持っていることを示唆している。

ある実験では，小型の野鳥であるアオガラ 125 羽が，新しい物に対してどう反応するかが検証された。プラスチック製のピンク色のカエルが，彼らの餌皿に置かれた。一部の鳥はすぐに恐怖を克服し餌を食べ始めたが，ほかの鳥はより用心深かった。野生に返された後も，鳥たちは実験室で見せたのと同じ性格的特徴を見せた。

一説では，動物は皆，似たような性格を持って生まれるが，ごくわずかな遺伝的差異が経験の影響を受け，時がたつにつれて異なる性格をはぐくむとされる。実際この研究は，人間の人生に対する姿勢がこれほどまでに異なる理由を解明してくれるかもしれない。

No. 2 ▶質問：一部の科学者は，近年何を研究してきたか。
選択肢 1 性格が経験によって獲得されるものなのかどうか。
2 動物がそれぞれ異なる性格を持っているかどうか。

3　どのような性格上の特徴が，動物が生き延びるために役立つか。
　　　4　どの動物が，最も人間に近い考え方をするか。

解説　第1段落第1～3文に We are used to the idea that human beings each have their own unique personality. But what about animals? In recent years, much research into animal personalities has been carried out by scientists. とあり，科学者たちが，動物が個性を持つかどうかに関する研究を行ってきたことがわかる。これは，選択肢では Whether animals have individual characters or not という表現に置き換えられている。

解答　2

No. 3　▶**質問**：この研究は，何を理解するのに役立つかもしれないか。
選択肢
1　人が経験に対してこれほど異なる反応をするのはなぜか。
2　人間の生命における進化の役割。
3　異なる人生観における遺伝的基礎。
4　人間が最初に動物と性質を異にし始めた時期。

解説　第3段落最終文に this research may throw light onto why human beings seem to have such different attitudes to life とあり，人間の人生のとらえ方がなぜそれぞれ異なるのかを解明するのに，この研究が役立つかもしれないことがわかる。これは，選択肢では Why people respond to their experiences so differently と言い換えられている。

解答　1

2-4 内容の理解を深める④ 因果関係に注意する

　Part 2 の論説文の聞き取りでは，具体的な事実を問う what 型の質問に加えて，それらの事実の間の因果関係を問う why 型の質問も多い。どのような発見，理論，事実が述べられているのか，それらはなぜ，どのようにして生じたのか，それらの及ぼす影響，結果は何か，といった因果関係を追うことで，流れがつかみやすくなる。その際，因果関係を表すつなぎ言葉や動詞に注意する。

1 原因・結果のつなぎ言葉・動詞に注意する

例題

Argentine Beekeepers Face Changes

　Global demand for soybeans has changed the ecology of Argentina's famous Pampas plains. ①The cattle and wildflowers that once coexisted there have now disappeared. **As a result**, beekeepers in Argentina have been pushed into distant regions. Patricio Crespo, a beekeeper, says that "wherever the cow goes, the bee follows. They live in harmony and both benefit from the flowers. But things have changed." Wide areas of the Pampas plains are now used to grow soybeans, and Argentina has become the world's third-largest exporter of the crop. Meanwhile, honey exports dropped 20 percent in 2007.

　It hasn't all been bad news for Argentine beekeepers, though. They have not had to deal with the mysterious mass bee deaths seen in the U.S. Moreover, ②the unique native plants in the surrounding areas **have allowed** the bees **to** produce an organic honey that is popular with honey lovers worldwide.

(2009-1)

Questions
No.1 What has been one effect of the changes in the Pampas plains?
　1 Beekeepers have changed locations.
No.2 What has been one positive outcome for beekeepers?
　4 Their bees now produce a new type of honey.

①**原因**：共存していた牛と野生の花が消えてしまった。
　結果：その結果，アルゼンチンの養蜂家は遠方の地域へと追いやられた。

②**原因**：周辺地域に自生する固有の植物のおかげで，
　結果：蜂たちは人気のある有機蜂蜜を作り出した。

2 因果関係を表すつなぎ言葉・動詞を道しるべにした聞き取り

　この問題の最初の質問は「パンパスで起こった変化がもたらした結果の1つは何か」である。例題では，「共存していた牛と野花が消えてしまった」という事実が述べられた後，As a result（結果として）というつなぎ言葉に導かれて，「養蜂家たちが遠方の地域へと追いやられてしまった」と述べられている。前半部分が「原因」であり，As a result 以下がその「結果」である。因果関係のつなぎ言葉に注意して聞き取りを進めることで，このような流れの把握が容易になる。質問の答えは「養蜂家たちは用地を変えた」であり，まさにこの因果関係を示す部分が質問で問われている。

　次の質問は，「養蜂家たちにとって有益な結果の1つは何か」であり，再び結果を問う質問である。原因・結果の流れに注意して聞いていくと，最後の部分で allow A to *do* という表現が使われている。これは，「A が〜することを可能にする」という意味の動詞句であり，その主語が原因にあたる要素となる。このことから，「周辺地域に自生している植物のおかげで，蜂たちは人気のある蜂蜜を作ることができるようになった」ということがわかる。これは正解の選択肢で，「彼らの蜂が新種の蜂蜜を作り出している」と言い換えられている。

　このように，原因・結果のつなぎ言葉や動詞表現に注意し，ある事実と別の事実の間の因果関係に着目することにより，内容理解を深めることができ，質問の答えを見つけやすくなる。

3 原因・結果を表す表現

つなぎ言葉

　　as a result / consequently「結果として」
　　that is why 〜「それゆえ〜である」
　　therefore / so / thus「それゆえに，だから」
　　this is because 〜「これは〜であるからだ」

動詞

　　bring about / cause / lead to 〜「〜を引き起こす」
　　result in 〜「〜という結果になる」
　　enable A to *do* / allow A to *do*「A が〜することを可能にする」

トレーニング

英文を聞いて，質問に答えなさい。

Part 2
(A)

No. 1
1. Because they have a large number of stems.
2. Because they are all so different from each other.
3. Because it is easy for a plant to change into a tree.
4. Because they often turn back into plants.

No. 2
1. They grow very slowly wherever they happen to be.
2. They adjust well to changes in surrounding conditions.
3. They find it easier to get the sunlight they need.
4. They need less water to survive for long periods of time.

(B)

No. 3
1. Because it helps us to care about other people.
2. Because it is essential to finding a partner.
3. Because it encourages our bodies to be healthy.
4. Because it gives us the energy to work hard.

No. 4
1. It helps them understand their wives' feelings.
2. It helps them work hard for their families.
3. It leads them to treat strangers more kindly.
4. It makes them want to look after their children.

解答と解説

(A) Tree Evolution　　　CD-17

スクリプト

　　There are various different definitions of trees, but what they usually have in common is that they are tall and have one central trunk. Other plants, by contrast, are small and usually have soft green stems. One recent study has found that it takes only a small genetic change for a plant to turn into a tree. This means that, throughout botanical history, plants have evolved into trees again and again. In other words, trees come from many different ancestors.

　　When a plant does become a tree, its height gives it a great advantage. All plants compete for sunlight, and tall trees do best in this competition. For this reason, once they develop, they quickly replace their shorter relatives. However, trees do have one handicap: they grow very slowly. Consequently, it is very difficult for them to adjust to environmental changes, and so it is relatively easy for them to become extinct.

Questions

No. 1 Why do trees have many different ancestors?
No. 2 What advantage do trees have over other plants?

全訳　木の進化

　　木にはさまざまに異なる定義があるが，一般的に共通するのは，背が高く，1本の主幹を持つことである。対照的に，ほかの植物は小さく，通常柔らかい緑の茎を持つ。最近の研究により，植物が木に変化するには，わずかな遺伝的変化で事足りることがわかった。つまり，植物の歴史を通して，植物は幾度も木に進化してきたのだ。言い換えると，木は多くの異なる祖先を持っている。

　　植物が実際に木になると，その背の高さが非常に有利に働く。すべての植物は太陽光を得るために競い合うが，背の高い木はこの競争において最も優位に立つのである。このため，木は一度成長すると，急速に背の低い仲間に取って代わる。しかし，木には不利な点が1つある。それは，成長が非常に遅いということだ。その結果，環境の変化に適応するのが非常に難しく，比較的容易に絶滅してしまう。

No. 1　▶質問：なぜ木は多くの異なる祖先を持つのか。
選択肢　1　木は数多くの茎を持つため。
　　　　　2　木はすべて互いに非常に異なるため。
　　　　　3　植物は容易に木に変化するため。

4 木はしばしば植物に戻るため。

解説 第1段落第3文に it takes only a small genetic change for a plant to turn into a tree とあり，植物が木に変化するためには，ほんのわずかな遺伝的変化があればよいことがわかる。植物が木に変化することは比較的容易であり，その結果，木はさまざまな祖先を持つのである。　**解答** 3

No. 2 ▶**質問**：ほかの植物に対して，木はどのような優位性を持つか。

選択肢
1　どこで育っても成長が非常に遅い。
2　周囲の状況の変化にうまく適応できる。
3　必要な太陽光をより容易に取り入れることができる。
4　より少ない水で長期間生き延びることができる。

解説 第2段落第2文に All plants compete for sunlight, and tall trees do best in this competition. とあり，木はその高さゆえに日光を受けやすいということがわかる。これが木の有利な点である。　**解答** 3

(B) Oxytocin

スクリプト

　Empathy — the ability to feel what another person is feeling — is a very important human characteristic. This is because it encourages us to treat other people with kindness. But why do some people feel more empathy than others? Scientists believe that the answer may lie in a chemical called oxytocin. This chemical is released into the blood when women are pregnant, leading them naturally to form strong bonds with their babies. It is also produced in fathers after babies are born. As a result, they feel a strong desire to take care of their children.

　Now an experiment has shown that when men are given the chemical artificially, they tend to respond more strongly to images of children crying or of a girl hugging a cat. The scientists hope that the drug can be used to help people who find it difficult to understand the feelings of others.

Questions
No. 3 Why is empathy so important?
No. 4 What effect does oxytocin have on new fathers?

全訳　オキシトシン

　共感，つまり他人の気持ちを感じとる能力は，人間の非常に重要な特徴である。

なぜなら，これにより，私たちは思いやりを持って人と接することができるからだ。しかし，なぜ共感能力の高い人とそうでない人がいるのだろうか。科学者たちは，答えはオキシトシンと呼ばれる化学物質にあると見ている。この化学物質は，女性が妊娠すると血液中に分泌され，彼女たちは自然に赤ちゃんと強い絆を結ぶ。また，赤ちゃんが生まれると，父親にもこの物質が生成される。その結果，両親は自分たちの子どもの世話をしたいという強い欲求を感じる。

近ごろのある実験で，この物質を人為的に男性に与えると，子どもたちが泣いている画像や少女がネコを抱いている画像に，より強く反応する傾向にあることがわかった。科学者たちはこの薬品が，他人の気持ちを理解することに困難を感じている人たちを助けるために使えることを期待している。

No. 3 ▶質問：なぜ共感はそれほど重要なのか。
選択肢
1 他人を思いやる気持ちを持たせてくれるから。
2 パートナーを見つけるために不可欠だから。
3 私たちの身体を健康にするから。
4 一生懸命働くための活力を与えてくれるから。

解説 Part 2 の論説文の聞き取りでは，因果関係に注意して聞き取りを進めると文章の流れをつかみやすい。その際は，原因・結果を表すつなぎ言葉に着目するとよい。第 1 段落第 2 文に This is because it encourages us to treat other people with kindness. とあり，共感という能力のおかげで，私たちは優しさを持って他人に接することができるとわかる。　　**解答** **1**

No. 4 ▶質問：オキシトシンは，新しく子どもを持った父親にどんな影響を与えるか。
選択肢
1 妻の気持ちを理解するのを助ける。
2 家族のために一生懸命働くのを助ける。
3 他人により親切に接するよう促す。
4 子どもの世話をしたいと思わせる。

解説 第 1 段落最終文に As a result, they feel a strong desire to take care of their children. とあり，オキシトシンの影響で，子どもへの愛着が増すことがわかる。ここでは，As a result という原因・結果を表すつなぎ言葉に注目することが重要である。　　**解答** **4**

③ 会話の聞き取りで注意すべき表現

　ここでは，Part 1 の会話問題の聞き取りにおいて，注意すべき表現を機能・状況別にまとめた。Part 1 の会話問題では，友人・家族との日常会話，同僚・上司とのビジネス上の会話，さまざまな施設での店員・係員・受付との会話，電話での会話などが扱われることが多い。以下のような表現を覚えておけば，状況の把握がスムーズにできるはずだ。

承認・同意

Let's go for it.　「そうしてみましょう」「やってみましょう」
I'll give it a go. = I'll give it a try.　「試しにやってみるよ」
You're on.　「いいとも」「これで決まりだ」
You've got a deal.　「それで手を打とう」
You can say that again.　「まさにそのとおり」
You could say that.　「そうとも言えるね」
You bet.　「確かにそのとおり」「もちろん」
I see your point.　「言いたいことはわかるよ」
I hear you.　「言いたいことはわかるよ」
Fair enough.　「同意するよ」「君の言うとおりだ」
Sounds like a plan.　「面白そうだね」「そうしよう」
Sure thing.　「もちろん」「いいとも」

提案

I'll tell you what. = Tell you what.　「いい考えがある」「こうしよう」
You might want to *do*　「〜してはいかがでしょう」
You could *do*　「〜してもいいね」
It's about time.　「そろそろそうすべき時だ」
Better safe than sorry.　「用心するに越したことはない」
Feel free to tell us.　「なんなりとお申し付けください」
Don't bother to *do*　「わざわざ〜していただかなくて結構です」
Leave it to me.　「任せてよ」

反対

Don't be like that.　「そんなこと言わないで」「そんなことすべきではないよ」
I wouldn't go that far.　「そこまでとは思わないな」

I'm warning you. 「言っておきますが」
That's not a big deal. 「大したことではないよ」
I don't follow you. 「言っていることがよくわかりません」
Come off it. 「やめてくれ」「いい加減にしてくれ」
That may be the case, but … 「それはそうかもしれませんが…」
Not really. 「そうでもないよ」
Not exactly. 「必ずしもそういうわけではありません」

話者の意見・希望

I'll look into it. 「それについてよく考えてみるよ」
I hope things will work out for you. 「うまくいくといいね」
That's what I'm expecting. 「そうなるだろうと思っているんだ」
I've been meaning to *do* 「ずっと〜しようと思っていたんだ」
That never crossed my mind. 「思ってもみなかったよ」
I'd appreciate it if you could *do* 「〜していただけたら幸いです」

呼びかけ・反応

Good for you. 「よかったね」「いいことだよ」
Lucky you. 「いいなあ」
You don't say! 「まさか」「本当？」
You are exaggerating. 「大げさだよ」
That's sweet of you. 「ご親切にありがとう」
What's up? 「どうしたの？」
Darn it. 「しまった」「ちぇっ」
Shoot. 「しまった」「もう」

電話での会話

Can I take a message? 「伝言をお受けいたしましょうか」
Hang on. / Hold the line. 「少々お待ちください」
Would you take a message? 「伝言をお願いできますか」
May I ask who's calling? 「どちらさまですか」
He'll be right back. 「彼はすぐに戻ります」

そのほか

I'm sorry to bother you. 「おじゃましてすみません」
I'm all ears. 「さあ，話してください」「興味津々です」
We are settled in. 「落ち着いたよ」

4 さまざまなリスニング・トレーニング

ここでは，準1級レベルのリスニング力を鍛えるために効果的と考えられるトレーニング方法として，**1**ディクテーション，**2**スラッシュ・リーディング，**3**スラッシュ・リスニング，**4**シャドウイングを紹介する。

1 ディクテーション

● ディクテーションとは
ディクテーションとは，聞こえてきた英語をそのまま書き取る作業のことを指す。意味のまとまりである句，節，文などを，一時的に記憶して，再生する（書き出す）作業がディクテーションである。

● ディクテーションの効果
・英語の記憶，保持，再生能力が高まる。
・英語を意味のまとまり（句，節，文）ごとに聞いて理解できるようになる。
・英語の音のイメージを頭の中に蓄え，スペリングと音との結びつきを強くすることができる。

● トレーニング方法
1 英文（音声とスクリプトがそろっているもの）を用意する。

> **ポイント**
> ◆市販の語学教材など，音声（CDなど）とスクリプトがそろっているものを利用するとよい。
> ◆教材としては，一度聞いてある程度概要がわかるもの，つまり今の自分のレベルより少し易しめのものを選ぶとよい。

2 用意した英文音声を聞く。このとき，英文を句，節，または文単位で止め，聞こえたとおりに書き取る。

3 書き取った英文とスクリプトを照合し，正しく聞き取れたかどうか確認する。

> **ポイント**
> ◆ 3～4回程度で完全に書き取れるように努力する。
> ◆ 英文を句，節，文単位で区切って書き取りを行う。単語単位で聞き取ろうとすると個々の単語に意識が集中してしまい，意味のまとまりをなす句や節，文に注意が向かず，自然な意味理解に支障をきたすことになる。
> ◆ 最初は一番短い句の単位で，慣れてきたら節，文といったより長い単位で区切って書き取りを行う。

2 スラッシュ・リーディング

● スラッシュ・リーディングとは

　スラッシュ・リーディングとは，英文テキストに意味のまとまりである句または節ごとにスラッシュ（斜線）を入れ，そのまとまりごとに意味を取り，読み進めていく方法である。英文テキストを目で追いながら，文頭から順番に（関係節などを後ろから訳したりしないように），自然な英文の流れの中で句や節単位で意味を取っていく作業である。これを，テキストを見ずに音声のみを聞きながら行うのが，p. 248で紹介するスラッシュ・リスニングである。スラッシュ・リスニングを行う前に，準備段階としてスラッシュ・リーディングの訓練方法に慣れておくとよい。

● スラッシュ・リーディングの効果

- 英文を後ろから訳さず，意味のまとまり（句，節，文）ごとに理解できるようになる。
- 文頭から自然な英文の流れに沿って，瞬時に意味を取れるようになる。

● トレーニング方法

1 英文を用意する。

2 用意したスクリプトに，意味のまとまりである句，または節ごとにスラッシュを入れていく。

> **ポイント**
>
> ◆スラッシュの入れ方は1つとは限らないが，準1級レベルではあまり短い単位の句で入れるのではなく，より大きな句，または節の単位で入れていくのがよい。以下はスラッシュの入れ方の例である。
>
> 　　A Texas-based organization / called Art from the Streets / has been helping America's homeless community since 1991.// Volunteers run art classes, / offering homeless people / a chance to express themselves / and gain a sense of self-worth.// The participants not only gain confidence and purpose/ but, in some cases, / make money / by selling their art.// Organizers emphasize the social benefits / the classes offer, / such as interaction with others / in a friendly and supportive environment.// （2009-2 一部抜粋）
>
> ◆人間が一度に記憶できる物の数は7個前後であると言われている。英文にスラッシュを入れる場合も，意味のまとまりである句，または節の中の単語数はできるだけ7語前後に収めるようにするのが望ましい。

3 上記のスラッシュを入れた英文を見て，スラッシュで区切られたまとまりごとに意味を取りながら読み進む。その際，そのまとまりの中で，日本語に訳さず瞬時に英文の意味が取れるようになることが望ましい。

3 スラッシュ・リスニング

● **スラッシュ・リスニングとは**
　スラッシュ・リスニングとは，前のページで紹介したスラッシュ・リーディングを行った英文を用い，今度はその英文の音声のみを聞きながら，句または節ごとに頭の中で区切り，意味を理解しようとする訓練方法である。

● **スラッシュ・リスニングの効果**
・英文を聞いて，意味のまとまり（句，節，文）ごとに意味を取ることができるようになる。
・文頭から自然な流れの中で（＝耳で聞く順序どおりに），瞬時に英文の意味がわかるようになる。

● **トレーニング方法**
1 英文（音声とスクリプトがそろっているもの）を用意する。
2 用意した英文スクリプトに，意味のまとまりである句，または節ごとにスラッシュを入れていく。つまり，前述のスラッシュ・リーディングを行い，自然な英文の流れの中で，句や節単位で意味を取れるようになっておく。
3 意味の切れ目ごと（スラッシュ個所）にポーズの入っている音声が用意できる場合にはそれを用い，意味のかたまりに意識を集中させながら英文を聞く。スクリプトは見ずに行う。

> **ポイント**
> ◆スラッシュ個所にポーズの入った英文音声を用意し，句や節単位で意味をとり，その句や節を結びつけて全体の意味が取れるようになる練習を行う。
>
> 　　1回目 … ポーズのところ（句や節単位）で，瞬時に意味が取れるように意識して聞くようにする。
> 　　2回目 … ポーズのところで，次に来る情報は何かを予測しながら聞くようにする。

4 ポーズの入っていないナチュラル・スピードの英文を聞く。スクリプトは見ずに行う。

ポイント

◆ナチュラル・スピードの英文を聞くときには，意味の切れ目である句や節ごとに，机を指や鉛筆で「コツン」とたたくなどして，意味のかたまりを意識しながら，全体の意味を取るように心がける。これを瞬時に英文の意味が取れるようになるまで繰り返し，英語を自然な流れの中で理解する回路を頭の中に形づくる。

4 シャドウイング

● シャドウイングとは

　シャドウイングとは，聞こえてきた英語に少し遅れて影（shadow）のように後を追いながら，できるだけ正確にそのまま発音していくことである。この方法は，同時通訳者を育成するためのトレーニング方法の1つとして使われてきたが，現在では学校教育などでも広く用いられるようになってきた。

● シャドウイングの種類

プロソディ・シャドウイング … 発音，イントネーション，リズム，ストレスなどの音の情報（プロソディ）に意識を集中させながら行うシャドウイング。
コンテンツ・シャドウイング … 英文の意味内容（コンテンツ）に意識を集中させながら行うシャドウイング。

● シャドウイングの効果

・英語の音の情報を正確に聞き，それを正しく再生できるようになる。つまり，英語の発音，イントネーション，リズムなどを体得でき，スピーキング力の向上にも効果が見られる。
・英文を意味のまとまり（句，節，文）ごとに頭の中に一時的に蓄え，それを忠実に再現できるようになる。つまり，英語の復唱能力が高まり，スムーズに意味を理解できるようになる。

● トレーニング方法

1 英文（音声とスクリプトがそろっているもの）を用意する。

ポイント

◆用意する英文は，一度聞いて概要が 70 ～ 80 ％程度わかるものを使う。自分のレベルを超えるものは使わない。

2 音声を聞きながら，少し遅れて聞こえたとおりに声に出して英語を再現する。スクリプトは見ずに行う。

> **ポイント**
>
> ◆シャドウイングを行う流れは以下のとおりである。
>
> 1. まず，発音，イントネーション，リズム，ストレスなど音の情報に意識を集中させながらシャドウイングを行う。この段階では，意味が完全にわからなくても，とにかく音を忠実に再現できるように心がけることが重要である（前述のプロソディ・シャドウイングを指す）。これを2〜3回程度繰り返し行う。
>
>   ↓
>
> 2. スクリプトに目を通し，意味が取れなかったところを確認する。また，シャドウイングしている自分の音声を録音しておき，再現できていない個所をチェックできるようにしておく。
>
>   ↓
>
> 3. 今度は，英文の意味内容に意識を集中させながらシャドウイングを行う（前述のコンテンツ・シャドウイングを指す）。意味に集中するといっても，英文の音を崩さないように心がけることも重要である。意味を理解しながら，英文を忠実に再現できるようになるまで，繰り返し行う。

実践問題

Part 1

No.1
1. It is noisy outside at night.
2. It is expensive for its size.
3. It has little natural light.
4. It has insufficient space.

No.2
1. It needs a new chairperson.
2. It lacks steady leadership.
3. Its curriculum needs changing.
4. Its reputation is poor.

No.3
1. Sell them on the Internet.
2. Throw them out.
3. Give them away.
4. Keep them for next winter.

No.4
1. She does not contribute to charities.
2. She cannot give him a donation now.
3. She wants to work at the shelter.
4. She already donated to his charity.

No.5
1. Save up for a cell phone for the husband.
2. Move to Japan this summer.
3. Give the free cell phone to their son.
4. Contact their cell phone service provider.

No.6
1. Purchase a new computer for her.
2. Take her computer in for a virus checkup.
3. Set up a weekly virus scan for her computer.
4. Look for a better security system.

Part 2

(A)

No.7
1. He feared its large and dangerous army.
2. He wanted to make it his new home.
3. Its priests refused to practice the Persian religion.
4. Its priests did not accept him as their king.

No.8
1. Evidence that Herodotus' account was correct.
2. Remains of the ancient Temple of Amun.
3. Bodies of people killed by the Persian army.
4. An ancient recorded history of a Persian king.

(B)

No.9
1. They experience different pleasures from humans.
2. They feel enjoyment after eating specific foods.
3. They prefer to eat food with less nutritional value.
4. They help people understand the importance of play.

No.10
1. The usefulness of animals to humans.
2. The bad experiences of animals.
3. The similarity of animals to humans.
4. The pleasure gained by hunting animals.

(C)

No.11
1. Relatives of dinosaurs.
2. Ancestors of dinosaurs.
3. The oldest known fossils of dinosaurs.
4. The main rivals of dinosaurs.

No.12
1. It looked similar to early dinosaurs.
2. It probably ran on two legs.
3. It was most likely a plant eater.
4. It was larger than dinosaurs at that time.

Part 3

(D)

No.13 *Situation*: You are on a vacation at a resort island and hear this announcement on the tour bus. You plan to go snorkeling.

Question: What should you do first?

1 Meet at the area near the palm trees.
2 Proceed to the south end of the beach.
3 Go to the area next to the parking lot.
4 Wait on the bus for more information.

(E)

No. 14 *Situation*: You are commuting to work and hear this traffic report on the radio. You are on Interstate 15 near Draper and are heading north to Salt Lake City.

Question: What should you do?

1 Be careful when nearing the accidents.
2 Take the nearest exit to State Street.
3 Take the turnoff for 215.
4 Use the Bangerter Expressway.

(F)

No.15 *Situation*: You attend a department meeting and hear the following announcement from the director. You have been working extra hours recently due to the layoffs.

Question: What does the speaker ask you to do?

1 Recheck other employees' work.
2 Take time off for working overtime.
3 Cut down utility charges.
4 Prepare for possible future layoffs.

解答と解説

Part 1

No. 1

スクリプト

W : How do you like living in your new place?
M : It's OK. I only pay $400 a month for a two-bedroom apartment, and it's quiet. But it's in the basement so it's rather gloomy.
W : We've got some spare furniture if you'd like, including a cozy chair and some lamps to help brighten things up.
M : Hey, that'd be great. Can I come by your place after school?
W : Sure. Drop by any time after four.
M : Great. I'll come around six if that's OK.
Question : What does the man imply about his apartment?

全訳

W：新居の住み心地はどう？
M：まあまあだね。ベッドルームが2つあるアパートに月400ドルしか支払っていないし、静かだよ。でも、地下だからちょっと薄暗いんだ。
W：もしよければ、座り心地のいいいすとか、部屋を明るくするのに役立つランプとか、いくつか使っていない家具があるわよ。
M：へえ、それはいいね。学校の後、君の所に立ち寄ってもいい？
W：もちろん。4時以降ならいつでも立ち寄って。
M：わかった。よければ、6時ごろお邪魔するよ。

No.1 ▶質問：男性は自分のアパートに関して何をほのめかしているか。
選択肢 1 夜間、外が騒がしい。　2 広さの割に家賃が高い。
　　　　 3 自然光がほとんどない。　4 十分なスペースがない。
解説 男性の最初のせりふ But it's in the basement so it's rather gloomy. から、部屋が地下にあり、薄暗いことがわかる。問題文の it's rather gloomy が、選択肢では It has little natural light. と言い換えられている。　**解答** 3

No. 2

スクリプト

M : How are things going in the English department, Jessica?
W : You know, we've got one of the best programs in the state, but I'm afraid things are so disorganized.

M : Really? Why?
W : We've had three different chairpersons in two years. Each one has had different priorities, so it feels like we're in constant change.
M : That's just the opposite of us. Our department head never changes, and our curriculum is outdated.
W : Well, I just hope the new chairperson hangs around for at least a year.
Question : What is the woman's opinion of the English department?

全訳
M：ジェシカ，英文学科の様子はどうだい？
W：そうね，州で最も素晴らしいカリキュラムの1つを提供しているのに，残念ながらあまりにも一貫性がないと思うの。
M：本当に？　どうして？
W：2年間で3人も学科長が代わったのよ。それぞれが違う優先事項を持っていたから，私たちは常に変化の中に置かれている感じだわ。
M：それは僕たちとは正反対の状態だね。僕たちの学科長は決して代わらないし，カリキュラムは時代遅れなんだよ。
W：やれやれ，新しい学科長が少なくとも1年は代わらずにいてくれるといいけど。

No.2 ▶質問：英文学科についての女性の意見は何か。
選択肢　1　新しい学科長が必要である。
　　　　2　確固としたリーダーシップが足りない。
　　　　3　そのカリキュラムは変革が必要である。
　　　　4　その評判は芳しくない。

解説　女性の2番目のせりふに We've had three different chairpersons in two years. Each one has had different priorities, so it feels like we're in constant change. とあり，学科長がしばしば代わり，それぞれが違う意見を持っていたために学科内が混乱している様子がうかがえる。つまり，英文学科には確固としたリーダーシップが足りない，ということである。　**解答** 2

No. 3

スクリプト

M : What should we do with these winter tires? We don't need them anymore since we live in a warmer climate now.
W : True. Let's advertise them on the Internet. Maybe somebody will buy them.
M : But they're pretty worn already. I doubt we'd get much.

W : You're probably right. You know, some people at the office go skiing every winter. I'll bet someone would take them off our hands.
M : Yeah, I suppose it's better to let someone have them than to just throw them out.
W : OK. I'll talk to them about it tomorrow.

Question : What do the man and woman decide to do with the tires?

全訳

M：スノータイヤをどうしようか。今は暖かい気候の土地に住んでいるから，もう必要ないね。
W：そうね。インターネットで売りに出しましょう。もしかしたら誰かが買ってくれるかも。
M：でも，もう相当使い古しているよ。高くは売れないね。
W：たぶんそうね。そういえば，職場に毎年冬にスキーをしに行く人たちがいるの。きっと誰かが引き取ってくれると思うわ。
M：そうだね，ただ捨てるより，誰かに使ってもらった方がいいね。
W：わかった。明日話してみるわ。

No.3 ▶ 質問：男性と女性はタイヤをどうすることにしたのか。

選択肢 1 インターネットで売る。　　2 捨てる。
3 無料で譲る。　　4 次の冬のために取っておく。

解説 女性の2番目のせりふの I'll bet someone would take them off our hands. や，男性の3番目のせりふの I suppose it's better to let someone have them than to just throw them out という発言から，彼らがタイヤを引き取ってもらう方がよいと考えていることがわかる。問題文中の let someone have them「誰かにあげる」が，選択肢では Give them away「無料で譲る」と言い換えられている。　　**解答** 3

No. 4

スクリプト

W : Yes, who is it?
M : I'm sorry to bother you. I'm Frank Mills from the Prevention of Homelessness Society. We're trying to raise money to build a new homeless shelter here in Orem. Would you be willing to make a small contribution?
W : I'm afraid you've come at a bad time. I've already made donations to some charities this month.

M : Anything you could give would help.
W : I understand, but I'm sorry. If you come by again next month, I might be able to help out a little.
M : No problem. Here's a leaflet about our organization. Please have a look at our website and perhaps make a donation online at a more convenient time.
Question : What does the woman tell the man?

全訳

W：はい，どなた？
M：お邪魔して申し訳ありません。私，ホームレス防止協会のフランク・ミルズと申します。ここオレムに，新しいホームレス保護施設をつくるために寄付を募っています。少しご寄付いただけませんか。
W：タイミングが悪いわ。今月はもういくつかの慈善事業に寄付してしまったの。
M：どのような額でも助かるのですが。
W：わかるわ，でもごめんなさい。来月また来てくれれば，少しは役に立てるかもしれないわ。
M：承知しました。こちらは私たちの組織についてのパンフレットです。私たちのウェブサイトもご覧になってください。よろしければ，もっとご都合の良い時に，オンラインで寄付をしてください。

No.4 ▶質問：女性は男性に何と言っているか。

選択肢
1 彼女は慈善事業に寄付をしない。
2 彼女は今は彼に寄付金を渡すことはできない。
3 彼女はその保護施設で働きたい。
4 彼女は既に彼の慈善事業に寄付をした。

解説 女性の3番目のせりふに I'm sorry. If you come by again next month, I might be able to help out a little とあり，来月なら寄付ができるかもしれないが，今はできないと女性が言っていることがわかる。 **解答** 2

No. 5

スクリプト

W : Honey, we got a notice from TeleCorp that says we're entitled to a new cell phone. Plus, it comes with a cheaper basic charge. Yours is really old, so why don't you replace it?
M : I like the one I have. It's simple to use.
W : What about Alex, then? He always complains his cell phone doesn't

have the functions all his friends' phones have.
M : Look. The notice says if we get a new one, we're committed to extending our contract for another two years. We'd better check with the company, especially since Alex is teaching English in Japan this summer. Maybe they have a cheaper plan for just the two of us.
W : Yeah, you're right. Let's call them up first.
Question : What does the couple decide to do?

全訳
W：あなた，テレコープから通知が来たわ。私たちは新しい携帯電話をもらう権利があるそうよ。それに，その携帯電話はより安い基本料金で使えるの。あなたのはとても古くなっているから，機種変更したら？
M：今持っているのが気に入っているんだ。使うのが簡単だし。
W：それなら，アレックスはどうかしら？ 自分の携帯に，友達みんなの携帯にあるような機能がないといつも文句を言っているわ。
M：見てごらん。通知に，もし新しいものをもらうと，契約をもう2年間延長することになると書いてあるよ。会社に確認した方がいいね，特にアレックスはこの夏，日本で英語を教えることになっているし。たぶん，僕たち2人だけのためにもっと安いプランがあるんじゃないかな。
W：ええ，そうね。まずは電話をかけてみましょう。

No.5 ▶質問：2人は何をすることにしたか。
選択肢　1　夫の携帯電話のために貯金する。
　　　　2　この夏，日本に引っ越す。
　　　　3　無料の携帯電話を息子に与える。
　　　　4　携帯電話サービス会社に連絡をする。
解説　女性の最後のせりふに Yeah, you're right. Let's call them up first. とあり，彼らはまず電話会社に連絡することにしたとわかる。このように，会話問題では最後に意思決定がなされることがあり，最初の部分を聞き逃しても，最後の部分に注意していると正解にたどりつけることがある。　解答 **4**

No. 6
スクリプト
W : Hey, Dan. My computer's acting really strange. Sometimes, it just suddenly shuts down.
M : It might be a virus. What kind of security system do you have?
W : Ebron. I heard it's one of the best.

M : It is, but when did you last do a virus scan?
W : Uh, I don't know. Not for a while.
M : I'll set it up so you get an automatic scan done once a week when the computer's not in use. That way you don't have to do anything.
W : Sounds great. Thanks.
Question : What will the man do?

全訳
W：ねえ，ダン。私のコンピューター，本当に調子がおかしいの。時々，突然シャットダウンしてしまうの。
M：それはウイルスかもね。どんな種類のセキュリティシステムを入れているの？
W：エブロンよ。最も良いものの1つだと聞いているわ。
M：そうだよ。でも，最後にウイルスチェックをしたのはいつ？
W：ええと，わからないわ。しばらくしていないけど。
M：週に一度，コンピューターを使っていないときに自動的にウイルスチェックをするように設定してあげるよ。そうすれば，君は何もする必要がないよ。
W：素晴らしいわ。ありがとう。

No.6 ▶ 質問：男性は何をするだろうか。
選択肢
1　彼女のために新しいコンピューターを購入する。
2　彼女のコンピューターをウイルスチェックのために持っていく。
3　彼女のコンピューターが週一度ウイルスチェックをするよう設定する。
4　より良いセキュリティシステムを探す。

解説　選択肢が動詞句なので，質問は話者の提案やその後の行動を問うものではないかと予測して聞くとよい。男性の最後のせりふに I'll set it up so you get an automatic scan done once a week とあり，男性が女性のためにウイルスチェックの設定をするつもりであることがわかる。　解答　**3**

Part 2
(A) The Lost Army of Persia

スクリプト

According to the ancient Greek historian, Herodotus, a Persian king called Cambyses sent an army of 50,000 soldiers to attack an outpost in the Saharan desert in 525 B.C. The army was told to destroy the Temple of Amun, because its priests refused to recognize Cambyses as the ruler of Egypt. The army walked through the desert for seven days, but then a strong windstorm killed and buried the soldiers in sand. Their bodies were never found, so many historians assumed the story was fantasy.

 Two famous brothers from Italy, though, believed Herodotus' tale. In 1996, archaeologists Angelo and Alfredo Castiglioni found many skeletons and ancient Persian weapons behind a large rock, providing proof that the army existed. They believe soldiers had tried to hide behind the rock to escape the sandstorm. Herodotus' story now seems accurate after all.

Questions

No.7 Why did the ancient Persian king want to destroy the Temple of Amun?

No.8 What did the two Italian archaeologists believe they had found?

全訳 ペルシアの失われた軍隊

　古代ギリシアの歴史家ヘロドトスによれば、カンビュセスと呼ばれたペルシア王は、紀元前525年、サハラ砂漠の前哨基地を攻撃するため、5万人の軍隊を送った。アモン神殿の祭司たちがカンビュセスをエジプトの支配者として認めることを拒否したので、その軍隊はアモン神殿を破壊せよと命じられたのだ。軍隊は7日間砂漠を歩いたが、そのとき、強い暴風が兵士たちを殺し、砂の中に埋めてしまった。彼らの遺体はまったく発見されなかったため、多くの歴史家たちがこの話は空想だと考えた。

　しかし、イタリアの有名な2人の兄弟はヘロドトスの話を信じた。1996年、考古学者のアンジェロ・カスティリオーニとアルフレード・カスティリオーニは、大きな岩の後ろに多くの骨と古代ペルシアの武器を発見した。これは、その軍隊の存在を証明するものであった。兵士たちは砂嵐から逃れるために岩の陰に隠れようとしたのだと彼らは考えている。結局、ヘロドトスの話は正しかったようだ。

No.7 ▶質問：古代ペルシア王は、なぜアモン神殿を破壊したかったのか。

選択肢 1　その巨大で危険な軍隊を恐れたため。
　　　　 2　それを彼の新しい住居にしたかったため。
　　　　 3　その祭司たちが、ペルシアの宗教を信じることを拒否したため。
　　　　 4　その祭司たちが、彼を王として受け入れなかったため。

解説　第1段落第2文の The army was told to destroy the Temple of Amun, because its priests refused to recognize Cambyses as the ruler of Egypt. という記述から、祭司たちがカンビュセスを王として認めなかったために、カンビュセスは軍隊に神殿を破壊させようとしたことがわかる。because に注意して、因果関係を追いつつ聞き取りを進めるとよい。　**解答** 4

No.8 ▶質問：2人のイタリア人考古学者は何を発見したと考えたか。

選択肢
1 ヘロドトスの記録が正しかったことの証拠。
2 古代のアモン神殿の遺跡。
3 ペルシア軍によって殺された人々の遺体。
4 ペルシア王に関する古代の歴史の記録。

解説 第2段落第2文に providing proof that the army existed とあり，彼らの発見が，ヘロドトスが記した軍隊の存在を証明したとわかる。 **解答** 1

(B) Animals Have Fun, Too

スクリプト

Jonathan Balcombe of the Physicians Committee for Responsible Medicine believes that animals like to play, eat delicious food, and feel pleasant sensations just like people do. Seagulls in Virginia can be observed playing catch with clam shells while they are flying. Many animals prefer certain foods that have less nutritional value, but taste good. Recent research shows that certain foods release pleasant sensations in the bodies of animals.

Balcombe argues that animals' feelings of pleasure show that their lives have intrinsic value. Martin Stephens of the Humane Society of the United States agrees. He says that researchers focus too much on negative experiences in animals such as pain and stress, whereas they should focus more on the pleasures they feel. Understanding the positive experiences in animals will show us that capturing and killing animals only deprives them of these experiences.

Questions
No.9 What has recent research about animals revealed?
No.10 What does Martin Stephens believe is emphasized too much?

全訳 動物だって楽しむ

責任ある医療を目指す医師委員会のジョナサン・バルコムは，動物も人間とまったく同じように，遊んだり，おいしい物を食べたり，心地よい感覚を感じたりすることを好むと考えている。バージニア州では，カモメが飛びながら貝殻でキャッチボールをするところを観察できる。多くの動物が，栄養価は低いが味は良い食物を好む。最近の調査によれば，ある種の食物は動物の体内に快い感覚を生むという。

動物が感じる心地よい感覚は，彼らの命に本質的な価値があることを示していると，バルコムは主張する。米国動物愛護協会のマーティン・スティーブンズは，これに同意する。研究者たちは動物が感じる心地よさにもっと注目するべきなのに，痛みやストレスのような否定的な経験に着目しすぎている，と彼は述べる。動物の

肯定的な経験を理解することは，動物を捕らえたり殺したりすることが，彼らからそのような経験を奪うだけであるということを教えてくれる。

No.9 ▶質問：動物に関する最近の研究は何を明らかにしたか。
選択肢
1 動物は，人間とは異なる楽しみを経験する。
2 動物は，特定の食物を食べた後，喜びを感じる。
3 動物は，栄養価の低い食物をより好んで食べる。
4 動物は，人間が遊びの重要性を理解するのを助ける。

解説　第1段落最終文に Recent research shows that certain foods release pleasant sensations in the bodies of animals. とあり，ある種の食物は動物に心地よい感覚を与えることがわかる。　解答 **2**

No.10 ▶質問：マーティン・スティーブンズは，何が強調されすぎていると考えているか。
選択肢
1 人間にとっての動物の有用性。
2 動物の悪い経験。
3 動物と人間の類似点。
4 動物を狩ることで得られる楽しみ。

解説　第2段落第3文に He says that researchers focus too much on negative experiences in animals とあり，スティーブンズは研究者たちが動物の否定的な経験ばかりを強調していると言っていることがわかる。　解答 **2**

(C) The Discovery of the Asilisaurus

スクリプト

It has long been thought that dinosaurs first appeared 230 million years ago. However, a recent discovery places their emergence as far back as 243 million years. Scientists recently found bones of an ancient creature known as the Asilisaurus, which is a kind of Silesaurus, the closest relative to early dinosaurs. The fossils of the Asilisaurus, found from a layer of earth thought to be about 240 million years old, push back the existence of dinosaurs by over ten million years.

When scientists pieced together fossilized bones of Asilisaurus skeletons, the result was different from what they had expected. It was a light, slender animal the size of a hound and it ran on four legs. Its beak-like mouth suggests that the creature ate vegetation. In contrast, the majority of early dinosaurs walked on two legs and ate meat. Scientists say the discovery indicates not only the timing of dinosaurs' emergence

but also their unexpected diversity.
Questions
No.11 What are Silesaurus?
No.12 What did scientists learn about the Asilisaurus from the assembled skeleton?

全訳　アジリサウルスの発見

　恐竜の出現は，長らく2億3千万年前であると考えられてきた。しかし，最近の発見によって，その出現は2億4千3百万年前までさらにさかのぼることとなった。科学者たちは最近，初期の恐竜に最も近い同族シレサウルスの1種である，アジリサウルスとして知られる古代の生物の骨を発見した。およそ2億4千万年前のものと考えられる地層から発見されたアジリサウルスの化石は，恐竜の存在を1千万年以上もさかのぼらせることとなる。

　科学者たちがアジリサウルスの化石化した骨をつなぎ合わせると，その結果は彼らが予想していたものとは異なっていた。それは軽い細身の動物であり，サイズは猟犬ほどで，4本足で走っていた。くちばしのような口は，その生物が植物を食べていたことを示唆している。対照的に，初期の恐竜の大多数は2足歩行をし，肉食であった。科学者たちは，この発見は恐竜の出現の時期だけでなく，彼らの予想外の多様性をも示していると述べている。

No.11 ▶質問：シレサウルスとは何か。
選択肢
1　恐竜の同族。
2　恐竜の祖先。
3　現在知られている最古の恐竜の化石。
4　恐竜の主要なライバル。

解説　第1段落第3文に Scientists recently found bones of an ancient creature known as the Asilisaurus, which is a kind of Silesaurus, the closest relative to early dinosaurs. とあり，シレサウルスが初期の恐竜に最も近い同族であることがわかる。　　　　　　　　　　　　　　　　　**解答**　1

No.12 ▶質問：科学者たちは，組み立てられた骨格からアジリサウルスについて何を知ったか。
選択肢
1　それは初期の恐竜と外見が似ていた。
2　それはおそらく2本足で走っていた。
3　それはおそらく植物食動物であった。
4　それは当時の恐竜よりも大きかった。

解説　第2段落第3文に Its beak-like mouth suggests that the creature ate vegetation. とあり，アジリサウルスが植物を食べていたことがわかる。

問題文の the creature ate vegetation が，選択肢では It was most likely a plant eater. と言い換えられている。　　　　　　　　　　　　　解答　3

Part 3
(D)
スクリプト

　　We're now approaching Bengal Bay, which offers the prettiest beaches and clearest waters on the island. We'll be serving a barbecue lunch in approximately two hours, so please gather at the south end of the beach just outside the diving shack at that time. We've set up lounge chairs by the palm trees for your convenience. For those who hope to do some snorkeling or scuba diving while waiting for lunch, we've set up a meeting place next to the parking lot. Please stay in your seats until everyone gets off, and then we'll give you further instructions. Have a great day in Bengal Bay.

全訳

　　私たちは今，ベンガル・ベイに近づいていますが，ここにはこの島で最もすてきなビーチと最も透明度の高い海があります。およそ2時間後にバーベキューランチをご用意いたしますので，時間になりましたら，ビーチの南端，ダイビング用の小屋のすぐ外にお集まりください。皆さまのために，ヤシの木の近くにラウンジチェアをご用意いたしました。ランチを待っている間，シュノーケリングやスキューバダイビングをしたい方のために，駐車場の隣に集合する場所を設けました。詳しい説明がございますので，皆さまが下車するまで座席に着いていてください。ベンガル・ベイで楽しい1日をお過ごしください。

No.13 ▶状況：あなたは休暇でリゾートの島に来ており，ツアーバスでこのアナウンスを聞く。あなたはシュノーケリングに行こうと思っている。
　　　　▶質問：あなたはまず何をするべきか。
選択肢　1　ヤシの木の近くに集まる。
　　　　2　ビーチの南端に進む。
　　　　3　駐車場の脇のスペースに行く。
　　　　4　さらなる情報を聞くためにバスで待つ。

解説　第5文に Please stay in your seats until everyone gets off, and then we'll give you further instructions. という説明があり，シュノーケリングをしたい人は，さらに説明を聞くためにバスに残らなければならないことがわかる。このアナウンスは，全員に関係のある一般的情報から，一部の人の

ための特定情報へと流れていく構造となっている。　解答 4

(E)　CD-33

スクリプト

An accident has been reported on the southbound lanes of Interstate 15, better known as I-15, between Draper and Salt Lake City. It's blocking two of the three lanes. It'll take at least an hour to clear these lanes, so alternative routes are recommended. If you're heading south on I-15 between Salt Lake City and Draper, take the nearest exit and proceed to State Street. Be aware, however, that the turnoff for 215 is closed due to repairs and avoid Bangerter Expressway, which is experiencing heavy traffic. Northbound lanes on I-15 are clear, but drive with caution when approaching the crash sites.

全訳

I-15 の名で知られているインターステート 15 号線のドレイパーとソルトレイクシティ間で，南方面車線における事故が報告されています。この事故により，3 車線のうち 2 車線が通行止めとなっています。これらの車線の障害物を取り除くため，少なくとも 1 時間は必要ですので，代替ルートを使うことをお勧めします。I-15 のソルトレイクシティとドレイパー間を南に向かって走っている方は，最も近い出口から降り，ステート・ストリートにお進みください。ただし，215 号線への分岐点は補修のために閉鎖されていますので，お気をつけください。また，渋滞しているバンガーター・エクスプレスウェイはお避けください。I-15 の北方面車線は通行可能ですが，事故現場付近では気をつけて運転してください。

No.14 ▶状況：あなたは通勤途中であり，ラジオでこの交通情報を聞く。あなたはインターステート 15 号線のドレイパー付近におり，ソルトレイクシティへ向かって北に走っている。

▶**質問**：あなたは何をするべきか。

選択肢
1　事故現場に近付いたら気をつける。
2　一番近い出口から降り，ステート・ストリートへ向かう。
3　215 号線への分岐点を使う。
4　バンガーター・エクスプレスウェイを使う。

解説　最終文に Northbound lanes on I-15 are clear, but drive with caution when approaching the crash sites. とあり，北へ向かっているあなたは事故現場に近付いたら気をつける必要があることがわかる。　解答 1

(F)

スクリプト

As you know, we've had some major layoffs these past several months. The good news is that we're in better shape now. However, we need to take further steps to survive these rough times. Many of you are working overtime to complete the work once done by others. But we won't be able to give overtime compensation from now on. Instead, you'll get time off. To reduce high utility costs, all thermostats will be set at 20 degrees and heating must be turned off at night. Thank you in advance for your cooperation.

全訳

ご存じのように、私たちはここ数カ月、大量の解雇を行ってきました。良い知らせですが、現在、私たちの状態は回復してきています。しかしながら、この苦境を乗り越えるために、さらなる対策を講じる必要があります。皆さんの多くが、これまでほかの人がしていた仕事を遂行するために時間外勤務をしています。しかし今後、残業手当を出すことはできなくなります。その代わり、皆さんは休暇を取ることができます。高額の光熱費を削減するために、すべてのサーモスタットは20度に設定し、夜間は暖房を切らなければなりません。皆さんのご協力をお願いいたします。

No.15 ▶状況：あなたは部局会議に出席しており、重役から次の説明を聞く。人員削減のために、あなたは最近ずっと残業をしている。

▶質問：話し手はあなたに何をするように依頼しているか。

選択肢
1 ほかの従業員の仕事を再度チェックする。
2 残業時間分の休みを取る。
3 光熱費を削減する。
4 今後ありうる解雇のために準備する。

解説 第5, 6文に But we won't be able to give overtime compensation from now on. Instead, you'll get time off. とあり、残業手当が出なくなる代わりに休みが与えられることがわかる。つまり、あなたは残業の対価を休暇で得るように言われているのである。

解答 2

二次試験対策

CHAPTER **5** 面接 ……………… 269

CHAPTER 5
面接

面接の形式 ……………… **270**
面接の流れ ……………… **272**
面接の傾向 ……………… **274**
面接突破に必要な力 …… **276**
実践問題 ………………… **306**

面接の形式

- ●出題内容　ナレーション，および質疑応答
- ●試験時間　約8分

形式

社会性の高い分野の話題に沿って描かれた4コマのイラストと指示文を含む問題カードを見て，イラストについてのナレーションと，イラストおよびイラストに関連した内容についての質疑応答を行う

出題のねらい

英語での発話力を問う。応答内容をはじめ，発音や語彙・文法力などに加え，コミュニケーションを図ろうとする姿勢も評価される

問題カード

準1級 受験者用問題 カード A

You have **one minute** to prepare.

This is a story about a woman who wanted to stop people from smoking on the street.
You have **two minutes** to narrate the story.

Your story should begin with the following sentence:
One day, a woman was on her way to work.

1 Central Station

2 The next week — No smoking while walking!

3 Six months later — FINE: 1,000yen / Smoking Area

4 A few days later — Smoking Area

2009-3 このカードは試験終了後，必ず面接委員に返してください。

面接の流れ

(1) 入室
係員の指示に従い，面接室に入ります。面接委員に面接カードを手渡し，指示に従って着席しましょう。

(2) 氏名・受験級の確認と自由会話
面接委員が受験者の氏名と受験する級を確認します。その後，簡単な日常会話をします。

(3) 問題カードの受け取りとナレーションの考慮
指示文と4コマのイラストが描かれた問題カードを受け取ります。内容をよく読み，1分間でナレーションの内容を考えます。メモを取ることはできません。

考慮時間：1分間

(4) ナレーション

面接委員の指示に従いナレーションをします。ナレーションの時間は2分間です。

ナレーションの時間：2分間

(5) Q & A

問題カードに描かれたイラストやイラストに関連する事柄についての質疑応答が行われます。質問は4つあります。

(6) 問題カードの返却と退室

試験が終了したら，問題カードを面接委員に返却し，あいさつをして退室しましょう。

面接の傾向

● 過去に出題された主なトピック

教育

親は子どもにもっと厳しくすべきか。
日本の学校教育の質は低下しているか。
大学を出ることは社会で重要か。
日本の入試制度は子どもに負担をかけすぎか。

キャリア

将来，定年後も働く人が増えると思うか。
男女は職場で平等な機会を得ているか。
雇用の際，学歴と職歴のどちらを重視すべきか。
仕事後の同僚との付き合いは重要か。

社会問題

出生率の低下にもっと取り組むべきか。
もっとリサイクルをすべきか。
若者の政治離れの理由は何だと思うか。

時代・世相

現代人は隣人と良い関係を築いているか。
現代人は他人への思いやりがなくなっているか。
現代人は簡単にイライラしすぎか。

傾向と分析

　二次試験の面接では，ナレーションの後に続く，ある程度の即答を求められる質疑応答で問われる質問（特に No. 2 ～ No. 4）のトピックを分析した。それらの多くは英作文と似通ってはいるが，「キャリア」として分類した「働き方」や「職場での事柄」など，社会人としての立場で考える必要のある質問がより多く見られるのが特徴として挙げられる。また，英作文問題の「時事・流行」に似たトピックも多く問われるが，それよりもより抽象的な内容で，現代の「時代（性）や世相」を反映させた質問が多く含まれる。内容がやや具体性に欠けるため応答に窮する受験者も多くいるかもしれない。周りで起こるさまざまな事柄に自分なりの見解を持つように普段から心がけるというのも1つの対策になろう。

（2007年度第3回～2009年度第3回のテストを旺文社で独自に分析しました）

面接を突破するために必要な力

① ストーリーの流れをつくる力

　面接のナレーション発表の際に最も重要視されるのは，4コマのイラストについて，つながりのある論理的な展開を持つ文章を話すことができるかである。ナレーション発表の前には1分間の準備時間があるが，ここではイラストで表現されたストーリーの背景情報を面接カードから読み取り，大まかなナレーションの流れをつくっておく必要がある。

　したがって，面接カードにある英文を読んで状況を把握する速読力，そのほか，できるだけ多くの状況や登場人物の行動や心情を4コマのイラストから読み取る判断力や把握力が必要となる。また，ナレーションに使えそうな語句を短い準備時間の中で考えつく語彙力も必要である。

② 個々のコマを描写してつなげる力

　ナレーション発表の際には，準備時間に考えておいた背景状況，登場人物の行動や心情について，それぞれを短文で描写することになる。そして，ただ文を羅列するだけでなく，ストーリーがスムーズに展開するように，個々の短文を的確につなげるつなぎ言葉を使う必要も生じる。

　したがって，あらかじめ決めておいた内容について，的確な語句を使用した表現ができる英作文力が必要である。また，作文に時間はかけられないため，考えたことを即座に英文にできるような英作文力も必要である。さらに，準備時間には思いつかなかったが，ナレーションを発表している最中に追加したい情報が出た際にも，このような英作文力を発揮しなければならない。そのためには十分な語彙力の裏付けも必要である。

❸ 質問に的確に答える力

　ナレーション発表の後の4問の質問のうち1問は、イラストの1コマについて受験者が登場人物の立場に自分を置き、その考えや心情を描写するものである。「あなたがこの人物だったらどうしますか、何と考えるでしょうか」という質問に対しイラストの状況を把握して答えるが、一般的な想像力とともに、ナレーションの発表と同様の英作文力が要求される。しかし、この出題については、面接委員からの質問と同じ構文（主に仮定法過去）を用いればよく、比較的対処しやすい。

　質問の大半（通常は3問）は受験者自身の意見を述べることを要求するものである。日常生活の身近な話題や社会的問題についての質問に対し、2～3文で意見を述べることが必要である。英作文問題のときと同様、明確な立場に立った簡潔な返答と、その後に理由や具体的な事実による裏付けを伴った英文で答える力が必要である。

　したがって、身近な話題に関して短時間で明確な立場を示し、それを直接的にサポートする根拠を添えることができる作文力と語彙力が要求される。

① イラストの描写①
ストーリーの流れをつくる

　イラストについてのナレーションを始める前に1分間の準備時間があるが，この短い時間の中でストーリーを組み立て，英語でのナレーションまでのすべてをリハーサルするのは難しい。そこで，準備の1分間では，次の4つを行うことを考えてみよう。

(1) ストーリーの背景を把握する
(2) ストーリーの流れを把握する
(3) イラストのそれぞれのコマで述べるべき内容を大まかに考える
(4) 使用する語彙を大まかに考える

以下で，実際の面接に臨む手順で，これらの解答準備の方法を学習しよう。

1 指示文からストーリーの背景を把握する

● 指示文の2行目から「中心人物」と「話題」を把握する

　まず，ナレーションの準備をする際に注意しなければならないのは，問題カードに印刷されている最初の下線が付された文である。ここには，イラストで表されているストーリーの背景情報が含まれている。したがって，この部分の要点を外さないように，ストーリーを組み立てる必要がある。この指示文をしっかりと読んで把握すれば，より短い時間でストーリー展開を考えることができる。では，過去に出題された指示文を見てみよう。

You have **one minute** to prepare.

This is a story about a university student who wanted to increase people's environmental awareness.
You have **two minutes** to narrate the story.

Your story should begin with the following sentence:
One day, a student was at the university cafeteria.　　　　　(2008-3)

　最初の下線部から，イラストの中のどの人物を中心に，どのような話題をナレーションで展開していけばよいのかがわかる。この問題では，次頁のイラストに描かれている「男子学生が，人々の環境問題への意識を高めるためにした努力」を柱にストーリーを展開することを考えていくことになる。このように，まずは「誰が」「何をしようとしている」のか大まかな情報を把握する。

2 ストーリーの流れを把握する

● イラストに目を通す

　最初の下線指示文からストーリーの背景が把握できたら，次にイラストに目を通し，中心人物が具体的に何をしたかを把握する。

　イラストの1コマ目はすでに指示文で把握できている場合が多いので，特に2〜3コマ目に目を通し，中心人物が何をしたかを見る。イラストの1コマ1コマの細かい情報ではなく，全体の流れを把握するように心がける。ここでは，

　　②「環境キャンペーンでコンサートを企画する」
　→③「環境意識を喚起するチラシを配る」

というように，大まかな流れを把握する。

● ストーリーの最後を把握する

　最後に4コマ目を見て，中心人物の行動がどのような結果になったかを把握する。ストーリーの大半は，最後のコマで人物の行動が成功するか失敗するかのどちらかに分かれるので，どちらに完結するかをしっかりと把握する。上の例を見ると，男子学生の周りには多くのゴミが散乱していることから，配布したチラシがゴミとして投げ捨てられており，コンサート企画は目的を達せなかったことがわかる。つまり，指示文を読む段階で把握した「環境意識を高めようとする努力」は失敗に終わったという結末につながる。

● つじつまを合わせて全体のストーリーをまとめる

　この段階で重要なのは，指示文で得た背景情報とイラストのストーリー展開の間でしっかりとつじつまが合っているかである。たいていの場合は，指示文の情報に留意しながらイラストを順に目で追っていくことで，それほど苦労せずに自然なストーリー展開の把握が可能である。細かい情報には留意せず，次のように，指示文の情報から外れないように全体の流れに注目するようにするとよい。

　　指示文：男子学生が人々の環境意識を高めようと努力する
　　　　①「都市の環境が悪化していることに気づく」（行動のきっかけ）
　　→②「会議で環境キャンペーン・コンサートを企画する」（実際の行動）
　　→③「コンサートで環境意識を喚起するチラシを配る」（実際の行動）
　　→④「チラシがゴミになってしまう」（行動の結果）

3　1コマ1コマで述べることの内容を考える

　ストーリーの展開を把握することで1分間の準備時間の前半が費やされるが，時間的にはまだ余裕がある。実際のナレーション発表はイラストを順番に見ながら文章を作っていくことになるが，今度は，実際の発表を行うように，4コマを順に追いながらストーリーを頭の中で再展開しつつ，各コマで述べる内容を大まかに考えていく。

● 1つのイラストに2～3個の情報を入れる

　ストーリーを再展開する際には，1コマについて「場面」，「人物の行動」，「人物の気持ち」といった2, 3項目を目安に大まかな内容を考える。この程度の情報量を考えて話せば，およそナレーションは2分弱の長さになる。1分間の準備時間の中では，日本語で考えても構わない。

　1コマ目
　　(1) 学生はどんな場面にいるか：
　　　　大学のカフェテリア（この情報は指示文の最後に書いてある）
　　(2) 学生は何をしたか：「環境が悪くなっている」という新聞記事を読んだ
　　(3) 学生はどう思ったか：何かしなければならない！

　2コマ目
　　(1) どんな場面か：学生同士の会議
　　(2) 何をしたか：環境キャンペーンの催しをほかの学生と考え，コンサートに決定した

3コマ目

(1) どんな場面か：コンサート会場
(2) 何をしたか：環境意識を喚起する "Clean Up Our City" のチラシを配布した
(3) どう思ったか：うまくいった！

4コマ目

(1) どんな場面か：コンサート後のステージの近く
(2) 何が起こったか：ゴミがたくさん落ちていた
(3) どう思ったか：キャンペーンは失敗だった！

4 使用する語彙を考える

　つじつまを合わせてストーリーの流れを把握し，各コマで述べる内容を大まかに考えておけば準備は十分だが，まだ余裕がある場合には，実際にナレーションをするときに使う語彙を断片的に頭に浮かべておこう。

● 指示文やイラストにある語彙を心に留める

　指示文やイラストに書かれている語彙は，積極的にそのままナレーションに利用する。例えば，問題の指示文中にある environmental awareness などの語句は，知っていてもとっさには出てこなかったり，表現に自信が持てなかったりするものである。しかし，問題カードの語彙をフル活用することで，ナレーション作成の大きな助けになる。また，イラスト中の association meeting や environmental campaign などの複合語も後で使えるようにインプットしておこう。

● 動詞（句）と目的語を中心に語彙を考える

　ナレーションで重要なのは，「〜が何をした」「〜は…だった」などの主述を組み立てていくことだが，準備の段階では「何をした」の動詞句（述語）と目的語の部分の使用語彙を頭に思い浮かべておくとよい。この部分がストーリーを表す最も根幹の部分となるからである。
　前述の問題例であれば，各コマで次のような語句が考えられる。

① found [read] an article
② discussed an environmental campaign, agreed on a concert
③ distributed [handed out] flyers [leaflets], succeeded [was successful]
④ found a lot of trash [rubbish], failed [was unsuccessful]

トレーニング

次の4コマのイラストについて、1分間でストーリーの骨組みを考えなさい。（考える場合は日本語で構わない）

You have **one minute** to prepare.

This is a story about a boy who preferred playing computer games to playing outside.
You have **two minutes** to narrate the story.

Your story should begin with the following sentence:
There was a boy who was crazy about computer games.

解答と解説

解答例

① 男の子が 1 日に何時間もコンピューターゲームをしている。母親がゲームばかりしている男の子に怒っており、もっと外で遊んでほしいと思っている。
　↓
② ある日、母親が「キッズサマーキャンプ」のパンフレットを見つけ、キャンプについて男の子の父親に話す。父親はキャンプに息子を送ることに同意する。
　↓
③ 出発の日、男の子はキャンプに行きたくない様子。コンピューターゲームができないことについて、とてもがっかりしている。
　↓
④ 2 週間後、男の子がキャンプから帰ってくると、日焼けして元気になっている。両親にキャンプで楽しかったことを話す。

(参考：ナレーション例)

※ このトレーニングは、ストーリーを組み立てるだけだが、参考までに、上記のストーリーの流れに沿って英文ナレーションを考えた例を以下に示す。

　There was a boy who was crazy about computer games. He played games for at least two hours a day. Although his mother told him not to play games too much, he didn't listen to her at all. She wanted him to play outside instead of playing computer games at home. One day, she found some information about a two-week kids summer camp for elementary school children. She brought a brochure home and discussed it with her husband. Her husband agreed to send their son to the camp. On the day of departure, the boy was reluctant to go. He could not imagine spending two whole weeks away from his computer games. However, when he returned from camp, he had become a strong, suntanned boy. With great enthusiasm, he told his parents how much he had enjoyed his time at summer camp. His parents were very happy to hear it.

解説

以下のようなポイントに留意したストーリー展開ができるとよい。

● 指示文の状況を盛り込む

指示文が This is a story about a boy who preferred playing computer games to playing outside. となっているので,「少年が外で遊ばずに家でゲームをしている」という状況は外さないようにストーリーを組み立てる。

● できるだけ登場人物の感情をはっきりと描写する

コマ①,③,④の登場人物には表情があるので,表情がある登場人物についてはその心情を判断して描写する。

● それぞれのコマの次のコマを見て,つながりを考える

コマ①:次は息子をキャンプに行かせることを話し合っているところなので,母親が家にこもっている息子を憂いている心情を描写している。

コマ②:次のコマでは,息子がキャンプに参加しようとしている状況が描かれているため,両親が揃ってキャンプに送ることに同意したことを述べている。

コマ③:次のコマは場面が2週間後になっており,特に次のコマに続けるべき情報は必要がないため,単にコマの中だけで完結する説明になっている。

● コマ同士が矛盾しないように

基本的に1コマ1コマをそのまま描写していけば特に矛盾したことを述べてしまうことはないが,イラストに表現されていないことを設定する場合には自然な流れになるように気をつける。

❷ イラストの描写②
個々のコマを描写してつなげる

　ここでは，準備時間に考えた内容に沿って個々のコマを英文で適切に描写し，それらをつなげる練習をする。ストーリーの流れを作った際に大まかにコマごとの内容を考えておいたが，その内容を英文にする際に留意すべきポイントを知っておこう。

1 コマを描写する際の注意点

● ストーリー展開に必要な要素を押さえる
　1コマ1コマの描写には，以下の3点を頭に入れて必要な情報を考えると，過不足なく盛り込むことができる。

　①背景となる状況の描写
　②中心人物の行動の描写
　③中心人物の心情の描写

　実はこの3点は，前項の「ストーリーの流れをつくる」の **3** ですでに行っているが，1分間の準備ではまだ不完全なところも多いだろう。1分間で準備した組み立てと大まかな内容に基づいて，英文でナレーションを発表しながら不足分を補う作業をしていこう。

● ナレーションの分量
　イラストの描写は1コマにつき2〜3文を目安に発表すればよい。上記の3点について英文を組み立てるとたいていは2文になるが，1項目につき1文を充てて3文にしても長すぎることはない。
　では次に，実際の問題で英文ナレーションを考えてみよう。

2 背景にある状況を描写する

● 中心人物の置かれた場所，時間，状況を述べる

　ストーリー描写のメインとなるのは中心人物の行動だが，背景として中心人物がいる場所，時間，周りで起こっていることなどを述べ，ベースを作っておくことが大事だ。2008年度第3回の3コマ目のイラストで確認してみよう。時間を表している A few months later はそのまま使えるが，さらに，ストーリーの組み立ての際に考えてお

た at the concert という状況も入れられる。さらに，周囲の状況を盛り込んで，A band [Several bands] played at the concert. や A lot of students went to the concert. と述べるとさらに十分な情報になる。

3 登場人物の行動を描写する

● 動詞（句）と目的語を中心に考える

　ストーリー中，最も重要な描写は中心人物が何をしているかを的確に述べることだ。ストーリーを組み立てる際にすでに大まかな内容は考えているので，短文で中心人物の行動を述べればよい。前項で取り上げたコンサート会場での中心人物の行動はどのように述べればよいだろうか。「ストーリーの流れをつくる」でも述べたが，まず動詞（句）と目的語を考え，イラストの中の表現も活用しながら，「環境意識を喚起する "Clean Up Our City" のチラシを配布した」を英文にする。He handed out leaflets encouraging people to clean up the city. のような文が言えればよいが，The student distributed flyers to the people. The flyers encouraged people to clean up their city. のような，文の羅列でも十分だ。

　ほかのイラストでも練習してみよう。

「環境が悪くなっている」という新聞記事を読んだ。

→ He found a newspaper article that said the city's environment was getting worse.
→ He read a newspaper article. It said that the city's environment was getting worse.

● 追加情報を英文にする

　1分間の準備時間に考えた行動についての内容を英文にするだけでも，情報量としては十分である。しかし，もし余裕があるようだったら，ストーリーを組み立てる際には考えなかったことも補足して発表し，情報量を増やすことも可能である。例えば，1コマ目であれば，He was sitting and having a cup of coffee reading a newspaper. や，2コマ目は They thought of a couple of ideas. などが考えられる。ただし，2分でナレーションを終わらせるという条件があるため，あまりに細かな情報は入れないほうがよい。

4 登場人物の心情を描写する

中心人物の行動とともに重要なのが，中心人物の心情や思考に関する描写である。中心人物はその場面でどう感じたか，特に4コマ目のイラストでは，中心人物の思惑が成功したり失敗したりするという展開が多く，その際の心理描写に関わる発表が重要となる。

● 中心人物の考えたことを想像した描写

最も簡単なのは，中心人物が考えそうなことを，He [She] thought... という形で直接的に表現することである。例えば4コマ目については，準備の段階では「ゴミがたくさん落ちていた」→「キャンペーンは失敗だった」という組み立てにした。そこで，

He thought the campaign was unsuccessful.
He thought he should think of a better way.
He concluded that the campaign failed.

などの表現を用いて中心人物の心の声を外に出すことで，ストーリーをまとめることができる。

● 中心人物の心情を客観的にとらえた描写

人物の心情を外から客観的に表すことも効果的である。前述の例であれば，He was very disappointed. / He was sad about the outcome. などになる。

ほかの表現例として，成功例であれば，He [She] was pleased [satisfied, happy, content, etc.] ... といった表現で心情を述べられる。

5 各コマの描写をつなげて，ナレーションを完成させる

これまでに考えた個々の英文を繰り出していくだけでも英文同士が論理的につながっており，情報が十分であればかなり良い発表になる。しかし，できればよりスムーズな発表になるよう，適切なつなぎ言葉を使えるようにしたい。

● 覚えておきたいつなぎ言葉

背景の描写で使った a few months later など，イラストにある時間の流れを表す語句はつなぎ言葉としてそのまま利用できる。そのほかに，then, after that, later, as a result, consequently, however, against one's will, to one's surprise などを使ってコマ同士をつなげるとよい。また，文同士をつなげる言葉として，as（～につれて），while, because, though などの接続詞も使用して練習してみよう。

● 1コマ目は指示文の最終行から

ストーリーの最初には，問題カードの最後に印刷されている文を使うように明記されている。

> ……
> Your story should begin with the following sentence:
> **One day, a student was at the university cafeteria.** (2008-3)

よって1コマ目は下線が引かれた文から始める。指示文に Your story should begin with the following sentence: とあるとおり，絶対にこの文と全く同じものを使わなければならないというわけではないが，この文は1コマ目の状況を的確に表しており，ナレーションのスタートとしてふさわしい文なのでそのまま使うのがよい。

では，総仕上げに上記の**1**〜**5**を総合して，前述のイラスト①〜④を描写してみよう。

ナレーションの例：

① One day, a student was at the university cafeteria. He was reading a newspaper, and found an article that said the city's environment was getting worse.

② Later, at a student association meeting, he discussed with other members a couple of ways they could raise environmental awareness. They agreed on the idea of holding a concert.

③ A few months later, as a band played at the concert, the student handed out leaflets. The leaflets encouraged people to clean up the city. He thought the campaign was successful.

④ However, after the concert, the student looked around, and was disappointed because some people had left garbage on the ground. He thought the campaign was unsuccessful.

トレーニング

それぞれの2コマ続きのイラストについて、ストーリー全体の状況をヒントに、4〜5文程度の英語で描写しなさい。

(1) ある大プロジェクトを任された男性。プロジェクト成功のためにがむしゃらに働いていたが…。

(2) 定年後、静かな暮らしを求め、田舎に定住した男性。周囲の人との交流の暇を惜しんで独学で畑仕事をがんばるが…。

(3) 出産後も仕事を続けることにした女性。夫が家事と子育てに専念することに。

解答と解説

解答例

(1)

 One day, on seeing the man exhausted and much thinner than before, his wife got very worried about his health and told him he should not work so hard. But the man said to his wife, "It can't be helped. I have to work."

 After a while, the man became sick from overwork, and had to stay in the hospital. He felt miserable because he couldn't go back to work for a long time.

(2)

 He studied agriculture from books and from the Internet, and he tried out the farming techniques that he read about. However, he didn't ask for any advice or help from his neighbors.

 Four months later, there were still no vegetables in his field. He was very disappointed because he could not produce any crops.

(3)

 She had to go back to work soon after giving birth, and didn't have time to take care of the baby. Because of this, the husband quit his job to take care of the baby and do the housework.

 One day, the woman received an award at an office ceremony for her good performance. She was very happy, and her husband had also become successful at taking care of things at home.

解説

(1)

　1コマ目は「男性がやせ細ってしまった経緯」「夫を見た妻の心情」を，2コマ目は「場の状況の説明とそこに至る経緯」「男性の心情」をしっかりと描写すること。解答例の because 以下はイラストからは読み取れないが，情報量を確保するために独自に加えられたものである。1コマにつき2～3文程度でナレーションをつくっていくのがよいが，イラストからは十分な情報が得られない場合は，矛盾や無理のない範囲で自分で設定してしまって構わない。

(2)

　1コマ目の2番目の英文は，イラストからではなく状況説明（実際の英検の問題では指示文に書いてある）を盛り込んだもの。このように，状況を説明しなければナレーションがつながらないがイラストからは読み取れない場合は，指示文をよく活用してナレーションに盛り込む。また，登場人物の心情もできるだけイラストから読み取るようにしよう。

　必要に応じて，However, などのつなぎ言葉や，イラストに書かれている Four months later などの言葉を積極的に使うこと。

(3)

　「女性は子育てができないほど仕事が忙しい」→「夫が妻に代わって子育てをすることにした」→「女性は仕事で成功して幸せに思っている」という骨組みになっている。なぜ夫が家事をすることになったのかはイラストからは十分読み取れないが，骨組みに合わせてつじつまが合うように説明を加えている。ここでは，and didn't have time to take care of the baby がその部分。

　2コマ目は，1コマ目に夫が楽しそうに子育てをしている状況が表されているので，「夫も家事がうまくいっている」としてある。しかしここを，「本当は夫は仕事で成功している妻をうらやましがっている」という解釈にすることも可能。

　→ Her husband was envious. He wished he could have continued working too.

3 質問に的確に答える

ナレーション終了後に面接委員から次のような質問が4問出される。

　①問題カードのイラスト（1コマあるいはイラスト全体）に関する質問
　②カードのトピックに関連した内容についての質問（2問）
　③カードのトピックにやや関連した社会性のある内容についての質問

ここでは，このような質問に的確に答えられるよう学習を進める。

1 イラストに関する質問に答える

　最初の質問はイラストに関連したものである。登場人物の立場に立ち，受験者自身がその人物であったらどうするか，どう思うか，あるいは何と言うかなどの質問である。たいていの場合は問題カードのイラストの1コマを取り出して尋ねる質問で，近年の出題はすべてこの形式となっているが，過去には特定のコマに限定せずに全体の内容について尋ねるものも出題されている。

● 登場人物のセリフや思ったことについての質問：直接話法を使う

　例えば，これまで学習してきたイラストについては，次のような質問が出されている。

　　Please look at the fourth picture. If you were the student, what would you be thinking?

　質問は，イラストの中の登場人物に喜怒哀楽の表情を読み取れるものに関して問われ，What would you be thinking? や What would you say to...? の形式である。
　このような質問の場合には，間接話法（下のAの例）を用いるより直接話法（B）を用いた方が，語句や節の処理に神経を使わず解答を作りやすい。

A : I would be thinking that I could not believe the people's behavior, in that leaving trash at a concert held to raise environmental awareness was really irresponsible.

B : I would be thinking, "I can't believe this! Leaving trash at a concert held to raise environmental awareness is really irresponsible."

● 質問をよく聞き，同じ構文を使う

解答には質問と同様の構文を利用すれば，労力をかけずかつ的確に答えられる。例えば，次のイラストでは，If you were the man, what would you do next? という質問が出題されている。

背景：ある男性のストーリー。会社で救急処置 (first aid) の講習があったが，多忙を理由に講習を受けなかった。ある日，家族でハイキングに出かけ，奥さんが転んでけがをしてしまった。

(2008-3)

そこで，まず下の **(1)** のように質問と同じ構文を使って答え，さらに何をするか，どうしてそのような決断をしたのかなどを **(2)** のように追加で説明する。イラストの中の語句が使える場合は積極的に使おう。

(1) I would carry her to where she could feel comfortable first.
(2) Then, I would call for help using my mobile phone because I don't know much about first aid.

2 意見を述べる：明確に立場を決める

4問の質問の残りの3問は，自分の意見を述べるものである。意見を述べる際にはあいまいな立場を避け，Yes / No を明確に述べた方が意見としてまとめやすい。実際の生活では，ある事柄に関して明確な意見を即答することは難しい。また，一方に偏った意見を持つことは良い判断とはいえない。しかし，試験の場では時間が限られているため，様々な条件を考慮しながら多角的な意見を述べることは実践的ではない。ここでは，まず明確な解答をする学習をしてみよう。

● Do you think...? / Should...? などの質問に答える

このような Yes / No で答えられる質問は，面接委員の質問をよく聞き，賛成か

反対の立場を即座に決めよう。あなたなら，次の例ではどちらの立場をとるだろうか。まずは Yes か No かを明確に述べるが，それだけではなく，質問をきちんと把握していることを示せるように，例文のように質問を少し言い換えた補足を入れて考えてみよう。

▶**質問 1**：Do you think that music has an important influence on people's lives? (2008-3)
賛成：Yes. Music is important for motivating people.
反対：No. Music has little influence on people.

● What do you think...? / Why do you think...? などの質問に答える

今度は上記のように質問自体が選択肢的な立場を示してくれないので，自分で評価を下したり，答えを考えて述べたりしなければならない。この形式は Yes / No で答えられる質問よりも出題頻度は低いが，出題されたときに対処できるよう，普段から訓練しておくとよい。質問の例を見てみよう。

▶**質問 2**：Some people say that more Japanese people should be proficient in English because that would lead to an internationally powerful Japan. What do you think?

このように，社会的な問題についてある状況が述べられ，それについて評価を求められることが多い。このような場合はとりあえず，I think that's a good idea. として肯定的に答えるか，I don't think that idea is good. のように否定的な立場を述べておく。そして，理由となる文を付け加えるというように，2段階で答えると答えやすい。もちろん，次のように最初から自分の考えを述べてもよい。

解答 1 I would like more Japanese people to speak English at an everyday conversational level.
解答 2 I think learning English is thought to be too important.

もうひとつ例を見てみよう。

▶**質問 3**：Why do you think that many young people leave the countryside to work in the city? (2008-2)

この質問は理由を尋ねているので，即座に理由を述べなければならず，かなり答

えるのが大変だ。評価を下したりするような決まり文句もない。しかし，理由を問われた質問に答える場合の自分自身の決まり文句というものをいくつか作っておき，そこに答えを当てはめるように英文を作ると，意外に簡単に答えられる。例えば，I think they should... という形で答えると決めているとする。

解答 3　I think they should find a job they really want to do.

と答えておき，都会のほうが様々な職種が選べるからという理由を後につければ答えになる。過去の出題を参照し，この形式の質問への自分なりの答え方を考えておくとよいだろう。

3 意見への理由付けをする

　前項でも少し触れているが，意見を述べた後には，それをサポートする理由や事実などの具体的な根拠が必要である。一次試験のライティング問題でも扱ったように，口頭の質問に対して意見を述べる場合も「意見→根拠」の順で発言すると，まとまりのある意見を提示できる。根拠は 1 ～ 2 文にまとめるのが妥当だ。ここでは前項で学習した，意見に根拠を付ける学習をする。

● 理由や具体的な事実が考えつく立場で答えよう

　特に，Yes / No で答える質問，あるいは善悪を判断すべき質問の場合，根拠が簡単につけられるものとそうでないものとがある。意見を述べる際にも，理由や事実が簡単に思いつく立場を述べたほうがスムーズに答えやすい。前項の質問 **1** にて Yes / No，善悪のどちらの根拠を出しやすいか考えてみよう。

▶質問 **1**：Do you think that music has an important influence on people's lives?
　Yes の根拠：音楽が人を勇気づけるように，音楽が感情に訴えかけることは多い。
　No の根拠：音楽よりも，他者との会話や書物を読むことのほうが人の人生には影響が大きい。

解答例

賛成：Yes. Music is important for motivating people. There are a lot of occasions where music encourages people to do something important to their lives.

反対：No. Music has little influence on people. Talking to others and reading books may have more influence on changing people's opinions and ways of life.

● 具体的な事実を考えるトレーニングをしよう

Q&Aでは意見を的確に述べる能力を判断されるため，ライティング問題と同様，様々な話題に対応して解答する必要がある。ただし，意見を述べるまでの時間が非常に限られているので，様々な話題について瞬時に判断し的を射た事実を即答できるように，普段から新聞やテレビニュースなどを通じて，社会問題に慣れておくことをお勧めする。

では，質問 **3** について，それぞれの意見につけられそうな根拠を考えてみよう。

解答 4 I think they should find a job they really want to do. ………
　　　　例：There are more opportunities in urban areas to find a variety of jobs.

解答 5 I think they need stimulus for their life. ………
　　　　例：They can find more places for shopping, entertainment, and dining in urban areas.

解答 6 I think they should have an image that urban life is more stylish than country life. ………
　　　　例：TV programs and advertisements may lead young people to believe that something cool is waiting for them.

4 的確なフレーズを使おう

これまでの学習のとおりに答えるだけでも十分だが，適切なフレーズを使うことによって，表現がより豊かに感じられる。次の2つの例を比べてみよう。両者とも「人々は十分に自分の健康を気遣っていると思いますか」(2008-2) という質問への解答である。

　　A：Yes. Recently a lot of people go to spots where they can engage in sports. They go to sports gyms, parks and swimming pools.
　　B：Yes, I think they are. I've heard that recently a lot of people go to spots where they can engage in sports such as sports gyms, parks,

and swimming pools.

　AとBは同じことを述べているが，印象としては I think they are / I've heard... / such as... などを使用している B のほうが多くを話しているように思える。このように，場に応じて適切なフレーズを使えるというのも，コミュニケーション力の1つである。以下のような表現も積極的に使ってみよう。

● **述べてきたことをまとめたり，最後に追加したりする表現**
　　As a result, / (In) that way, / After all, / For example, / such as

● **主張を和らげる表現**
　　Probably, ... may... / In my opinion, / In my case, / I've heard that... / Many people may think that...

● **相手の意見に対して簡潔に同意を示す場合**
　　I do [think so]. / I think they are [do]. / Of course, yes. / Definitely.

5 語彙が思いつかないときの対処法

　質問に即答しなければならない状況で意見を述べる際に，うまく頭に的確な語彙が浮かばないことがよくある。そのようなときには時間をかけて適切な言葉を探そうとするのではなく，ほかの表現を駆使して意思を伝えようと努めた方がよい。言葉を探して沈黙してしまうとコミュニケーションに大きな支障をきたすことになるので，語句が思い浮かばないときは何とかほかの言葉で言い換えよう。

　例えば，Which should companies place more emphasis on when hiring employees, academic qualifications or work experience?（2007-3）という質問に対し，「雇い主は職歴で候補者を選ぶべきです。専門技術が必要な職業はなおさらです」と答えたいとしよう。とっさに，「候補者」(candidate),「専門技術」(specialized skills),「職業」(occupation) などが出てこなかったときは，次のように言い換えて解答してはどうだろうか。これもコミュニケーションを続ける上で必要な力の一部である。

　I think (that) people who select **future workers** should place emphasis on work experience, especially for **jobs** that need **special techniques**, for example, ...

トレーニング 1

それぞれのストーリーに関する背景を参照し，質問に口頭で答えなさい。

(1) ある地域に大型スーパーができて，地元の商店街が閑散としてしまっている状況で。
If you were the shopkeeper in the picture, what would you be thinking about the situation?

(2) p.289 のトレーニング (2) の右のイラストで，作物が実らずがっかりしている男性。
If you were the man in the picture, what would you be thinking?

(3) 遠方への転勤を命じられたサラリーマンが，単身赴任するか否かを迫られている状況で。
If you were the man in the picture, what would your decision be?

(4) 病院が，重篤な急患に十分な対応ができなくなっている状況で。
What do you think can be learned from this story?

解答と解説

解答例

(1) I'd be thinking, "The big supermarket is taking away most of my customers. I should close my shop because I won't be able to make enough money."

(2) I'd be thinking, "Why are no crops growing after all my hard work? Should I try another way next season?"

(3) I would reject the transfer and ask my boss to postpone it for a few years. I think family unity is the key to a happy life.

(4) The lack of doctors to deal with emergency cases is a very serious problem, so people with only slight injuries or sickness should refrain from going to the hospital, and leave more time for doctors to take care of emergency patients.

解説

(1) 仮定法で質問されているので，仮定法で解答するのが原則。解答例は直接話法を使っており，解答法として最も無難である。もちろん以下のように解答しても構わない。

I would be anxious, because the big supermarket would be taking away most of my customers. I would worry that I might have to close my shop because I wouldn't be able to make enough money.

(2) この解答例も直接話法で解答した例。以下のように間接話法を使用する場合は，語順に注意してミスをしないように心がけよう。

I would be thinking why no crops are growing after all my hard work, and wondering if I should try another way in the next season.

(3) 特定のコマに対する質問ではあるが，ストーリー全体を踏まえて言うことを決定する例。自分ならどうするかということを先に述べ，説明が必要な場合は後から補足する。ここではさらに，I would not choose to leave my family behind. などの文を第1文の後に挿入し，詳細に述べてもよい。

(4) 短時間で応答しなければならないので，すぐに思いつく簡潔な解答がよい。「本当に病院でのケアが必要な人だけが病院に行けば，医者に余裕が出てくる」という論理展開になっている。ほかにも，「病院の数を増やす」「救急患者しか行けない病院を設定する」など，実現不可能だと考えられていることでもよいから簡単に思いつくもので解答する。

トレーニング2

次の各質問のテーマを参考にして，質問に口頭で答えなさい。

(1) 子どもの将来について
Do you think parents today have high expectations of their children?

(2) 家族について
Do you think people should put their families before their work?

(3) 最近の健康ブームについて
Should Japanese people take more of an interest in their health?

(4) 日本の食糧自給率アップについて
How do you think Japan can rely less on food imports?

(5) コミュニケーション能力の重要性
Do you think communication skills should be the most important factor for hiring a worker?

(6) 女性のキャリアについて
Do you think women should be given the same opportunity as men to pursue their careers?

解答と解説

解答例

(1) Yes, I believe parents have high expectations for their children, so they can feel proud of them if they succeed in school and are generally successful in life.

(2) Not necessarily, because it's important for the main bread winner to balance both family and work. If bread winners are not successful at their jobs, they cannot support their family.

(3) Yes. Many Japanese people need to take better care of their health, especially if they don't get enough exercise, or if they have a poor diet, or don't take immediate care of medical problems. However, many other Japanese people do take care of themselves, so they don't need to be so concerned with their health.

(4) I think the Japanese government needs to subsidize Japanese farmers so they can make a decent profit. Also, citizens should be educated so that they realize that imported food is very cheap and that local food products are fresher and better for their health.

(5) It depends on the job. In some jobs, like teaching and sales, communication skills are critical. In other jobs, such as construction work or computer technology, other skills may be more important.

(6) Yes. I think women with career ambitions should be able to pursue their careers and compete equally with men. To create a truly equal society, companies should change the culture that has prevented women from being promoted to executive positions.

解説

(1) 子どもの家庭教育についての出題は多い。とっさに解答するには難しい話題が多いので，自分の家庭教育の理想や，現在の一般的な子育てについて考えたり情報を得たりしておいた方がよい。解答例のように，質問に対する直接的な意見を答えてから，それをサポートする文を1つ付け足す。

(2) 反対意見を出すときに，ただ No. と言って全面的に否定してしまうよりも，解答例のように Not necessarily と，反対はしているが逆の可能性もわかっているということをアピールする。bread winner とは「一家の稼ぎ手」の意味で，breadwinner とも書く。

(3) この解答は賛成の立場に立っているものの，「ある人は…だが，ほかのある人は…だ」というように，物事を両面から見ている。両面の根拠を出す必要があるので，それだけ解答も長くなる。前半，後半のどちらかに論点を絞った解答でも質，量ともに十分であるが，両面から論を展開したい場合は，どちらのことを述べているのかをしっかりと考えながら解答する必要がある。

(4) How do you think...? という質問と What do you think...? という質問を混同してしまわないように注意しよう。How...? の場合は「どう思う？」ではなく，do you think の後の内容，「どうやったら…する／できる」のかという，具体的な方策を出して答える必要がある。subsidize（助成する），decent profit（まともな利益）などの語句は，簡単な fund, enough profit のように言い換えてよい。

(5) Yes / No の立場を決めかねるときは，It depends on the situation. などの表現を使って，両方の立場を述べることも可能。ただし，**(3)** 同様，多面的に述べるためにはそれだけ多くの根拠を出す必要がある。対比させて述べる場合，communication skills に対比する能力について言及する必要があるが，思いつかない場合は，解答例の other skills のように，あいまいな語を使って明示を避けるというのもよいだろう。

(6) 質問に賛成の立場をとった意見を出した解答。意見の後の文は，根拠というよりは「実現するためには…である必要がある」と，さらに付随する意見を出している。なぜ女性は男性と同じようにキャリアを追求するべきなのか，追求することでどんな利点があるのかをきちんと述べられるのであればその方がよい。しかし，述べられない場合でも意見を1つだけ出して終わってしまうよりも，解答例のように関連することを付け足せるとよい。

4 解答のポイント

ナレーションの準備および発表の際には，以下の5つの点に留意するとよい。

1　1分間の準備時間で，すべてを準備しようと考えない

　時間が短いので，あまり多くのことはできない。「ストーリーの流れをつくる」で学習したとおり，指示文をしっかり読んで把握し，どのような順序でストーリーを展開していくかを考えられればよい。ナレーションで最も重視されているのは，ストーリーが論理的につながっているかであり，1コマ1コマの内容はより重要度が低い。したがって，1コマ1コマの内容や使用する語句まで十分に手が回らなくても，心配せずにナレーションの発表の際に挽回すればよい。発音，使用語彙，文法の正確さを含め，細かな点の正確さに気を配ることも大切だが，まずは全体のまとまりを考慮したストーリー展開に焦点を当てる方が，求められているスピーキング力を示すのには効率的である。

2　ナレーションの発表はゆっくりと話す

　準備時間と比較して発表の2分間は意外に長い。制限時間を意識すると早口になってしまうが，とにかくゆっくり，はっきり発音しながら話すことを心がけよう。焦って先に進むと，後で長く時間が余ってしまうことにもなりかねない。1分の準備時間でできなかったことを補うことも考えれば，慌てず着実に発表しよう。「個々のコマを描写してつなげる」（p.285～）で学習した分量で話せば，ゆっくり話しても途中で制限時間になってしまうことはないだろう。

3　Q&Aでは返答の内容にこだわらない

　Q&Aで面接委員が評価するのは，適切な語彙や文法を使用して，根拠を挙げて自分の意見を表現できるか否かであって，模範的な意見が述べられるか否かではない。面接委員は内容の善し悪しで受験者を評価することはないので，必ずしも「良い解答」を出す必要はないのだ。「質問に的確に答える」（p.292～）で学習したとおり，内容にこだわらずに理由を提示しやすい立場に立って意見を述べた方が，論理的でまとまった解答をすることができる。

4 求められなくても根拠を提示する

　意見を述べた後には，面接委員からその根拠を提示することを求められなくても，積極的に言葉を継ぎ足して説明を続けるようにする。すべての意見には根拠となる理由を考えるという訓練を普段からしておきたい。また，根拠が考えつく限り，遠慮せずにどんどん発言した方がよい。多く話したことで語彙や文法の間違いが多くなってしまうという心配をする必要はない。

5 確実に使える構文や語彙を使う

　ナレーションと Q&A の両方に通じることだが，複雑な構文や後置修飾の多用は，聞き手の理解を妨げてしまうと同時に，自分でも言いたいことが何かを見失うことにもなる。また，語彙の的確さや構文の多様性などはプラスになるものの，理解があいまいなものを無理して使用すればそれだけミスを誘発する可能性が高まる。高等学校で学習するレベルの語彙や文法で十分なので，自信を持って使える語彙やなるべく理解しやすい構文を使おう。

コラム　アティチュードについて

　面接会場に入り，面接委員と自由会話を交わすところからアティチュードの評価は始まり，部屋を出るまで評価される。同じ内容の解答でも，面接委員に与える印象によって若干評価に影響が出る場合がある。特に，自分のことを話すときや自分の意見を言うときは，下を向かず「アイコンタクト」をとり，はっきりとした口調で話すことを意識して臨むことが大切である。受験者の容姿で採点することは絶対にないが，ある程度の明るい表情も必要で，陰気であるより印象が良いのはどんな面接でも共通であろう。ただし，いわゆるジャパニーズ・スマイルと言われるような，あいまいな照れ隠しの笑顔は避けたい。

● アティチュード評価の具体的観点

1　コミュニケーションを取ろうとする態度

　コミュニケーションを続け，考えを伝えようとしているか。アイコンタクトやジェスチャー，言い回しが思いつかない場合の言い換えなどが十分に行われているか。

2　明瞭な音声

　適度な音量で明瞭な話し方をしているか。

3　反応

　コミュニケーションが流れるように，自然に相づちを打ったり，不自然な間を空けないようにしているか。

実践問題

You have **one minute** to prepare.

This is a story about a woman who started working after taking time off to raise her children.
You have **two minutes** to narrate the story.

Your story should begin with the following sentence:
One day, a young woman was at home talking with her husband.

① I got a pay cut this year. / I'll get a part-time job next week.

② Throughout the following month

③ In the evening / Read us a bedtime story!

④ We're going to help out more around the house.

Questions

No. 1 Please look at the fourth picture. If you were the woman, what would you be thinking?

No. 2 Why do you think more couples are choosing to pursue careers these days?

No. 3 Should children be expected to do household chores regularly?

No. 4 Do you think that companies provide adequate childcare facilities for their employees?

解答と解説

Model Narration

One day, a young woman was at home talking with her husband. Her husband was telling her that he got a pay cut this year. She told him that she would start working next week to help. Throughout the following month, she worked at a restaurant and was busy every day as the restaurant was very crowded. In the evenings, when she got home, she made dinner for her two children. Her children were getting ready for bed and came into the kitchen. They asked their mother to read them a story. It was almost ten, and the woman looked very tired. The next Sunday morning, she was still in bed at nine in the morning. Her husband and two children came into the bedroom carrying breakfast on a tray for her. They said they would start helping her around the house. She seemed happy and relieved to hear that.

解答例

No.1

I'd be thinking, "Although last month was exhausting, I am happy to have a supportive family who is willing to help out."

No. 2

I think couples have little choice but to continue working. Families need a double income since the cost of living, including children's educational expenses, is so high these days.

No.3

Yes, because it teaches them to be responsible and independent. This will be important when they move out of the house and have to do everything themselves.

No.4

No. I believe that more companies should create an environment that welcomes working parents with children by providing in-house nursery facilities or more flexible working hours. We would be able to reduce the decline in the birthrate if we created an environment where working parents are supported.

解説
Narration

1コマ目および4コマ目はイラストのセリフをそのまま直接話法で表現してもよい（例：She said to him, "I'll get a part-time job next week."）。また，イラストの中の表現もそのまま活用するとよい。最後のコマはそれまでの雰囲気とうって変わり，母親が喜んでいることがよくわかる。このような場面は，登場人物の心情をはっきりと表現しよう。そして，全体的に注意が必要なのは動詞の時制。セリフの部分以外は原則として過去形にすること。

No.1 多くの場合，4コマ目の登場人物の心情について聞かれる。したがって，最後のイラストと1～3コマ目との状況を比較して，登場人物がどのように思うかを考える。

No.2 まず，一言で「仕事を続ける以外に方法はない」と短文で言い切り，その後に，なぜそのような状況になっているのか，人々の現状の詳細や理由を追加する。cost of living は慣用的な表現だが，とっさに思い浮かばなければ，the money they have to spend for their life などと言い換え，スムーズな発言を心がける。

No.3 普通疑問文での質問には，先に Yes / No をはっきりとさせ，自分の立場を明言した後に，その根拠を示すというのがオーソドックスな解答法。解答例のとおり，子どもに家事をさせることの効能を述べたり，逆に，家事をしないことによる弊害を述べたりと，簡単な根拠をつける。

No.4 質問への解答は，およそ2文を目安に考えると情報量として過不足がない。解答例のような「～するべきである。なぜなら～であるから」という構成が最も簡潔に意見を表しやすい。in-house nursery facilities は社内託児所だが，これも a place in the company where children are taken care of for their mothers のような言い換えで表すことができる。

> **コラム** さまざまな話題に対応するために

　面接試験で出題されるイラストや質問のテーマは，ごく身近な時事問題である。そこで，普段からメディアを活用し，さまざまなトピックについて自分の考えを持つように心がける必要がある。

　この点で，スピーキングには一次試験のライティング学習で培った力が応用できる。しかし，ライティングと異なる要素は，質問が出されてから意見を述べるまでの時間が非常に限られているということである。したがって，さまざまな話題について，瞬時に判断し的確に即答できるようなトレーニングが必要である。

　そこで，以下のような練習方法を提案する。

❶ 最近話題になっていることについて，短い文で意見を書く練習

　これは口頭で意見を述べるための前段階の練習で，実際に発話することができるようになるための「書く訓練」である。1日に1〜2文で十分な練習になるはずである。その日の新聞の社会欄，家庭欄，投書欄など（政治，経済，国際，社説などのページは，専門性が強過ぎる）から1つ話題を選び，そこに書かれていることについて，自分はどう思うかをノートなどに書く。実践練習のため，辞書を使わずに書いてみよう。そして，書いた文を読み返し，文法的な誤りがなく意味がきちんと通る文になっているかをチェックする。また，言いたい表現が頭に浮かばなかったときには，辞書でチェックしてノートに記録しておくとよい。慣れてきたら，同様の練習を口頭で行う。

❷ 口頭の和文英訳

　二次試験対策用の問題集などに掲載されている解答例の日本語訳を，逆に英語にする訓練法。すでに発話する内容は決められているので，ナレーションやQ＆Aを実際の試験形式に即して練習するより，やや負担が軽くなる。また，自分が作成して口から発した解答が，モデルとなる解答例とどれだけ類似しているか，あるいは違っているかを確認できることが利点である。この訓練法は，続けることにより，発言する内容が決定していれば即座に英語にすることができるようになることをねらいとしている。

あなたにピッタリの本が必ず見つかる！
旺文社の英検対策書

試験まで

3ヶ月前 なら

定番教材

出題傾向をしっかりつかめる英検対策の「王道」
英検過去6回全問題集
[過去問集]
1級～5級
★別売CDあり

一次試験から面接まで英検のすべてがわかる！
英検総合対策教本
[参考書]
1級～5級
★模試1回分／CD付

手っ取り早く「出た」問題を知る！
短期完成 英検3回過去問集
[過去問集]
準1級～5級
★CD付

1ヶ月前 なら

効率型

大問ごとに一次試験を短期集中攻略
英検DAILY集中ゼミ
[問題集+参考書]
1級～5級
★模試1回分／CD付

二次試験まで完全収録！頻度順だからムダなく学習できる
英検でる順合格問題集
[問題集]
準1級～3級
★CD付

7日前 なら

速攻型

7日間でできる！一次試験対策のための模試タイプ問題集
7日間完成 英検予想問題ドリル
[模試]
1級～5級
★CD付

単熟語

でる順だから早い・確実・使いやすい！
英検でる順パス単
1級～5級
★無料音声ダウンロード付

二次試験

DVDで面接のすべてをつかむ！
英検二次試験・面接完全予想問題
1級～3級
★CD・DVD付

4級・5級は二次試験はありません。
このほかにも多数のラインナップを揃えております。

〒162-8680 東京都新宿区横寺町55 お客様相談窓口0120-326-615
旺文社ホームページ http://www.obunsha.co.jp/

旺文社
Obunsha